Mathemateg Cyfnod Allweddol
Rhifedd

Llyfr Adolygu 1

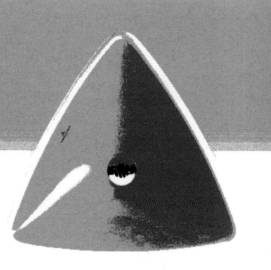

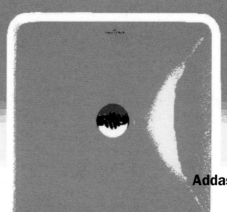

@ebol

Addasiad Cymraeg gan Siôn Wyn Evans

Cynnwys

Cynnwys

Adran Pump – Siâp, Gofod a Mesurau

Adran Chwech – Trin Data

Y fersiwn Saesneg:
Cyhoeddwyd gan Coordination Group Publications Ltd

Prif Gyfranwyr:
Charley Darbishire
Deborah Dobson

Cyfranwyr Eraill:
Chris Dennett, Toby Langley, Tessa Moulton, Iain Nash, Andy Park, Claire Thompson,
James Paul Wallis

Testun, dylunio ac arlunwaith gwreiddiol © Coordination Group Publications Ltd

Y fersiwn Cymraeg:
© Addasiad Cymraeg: Awdurdod Cymwysterau, Cwricwlwm ac Asesu Cymru 2004

Cyhoeddir y fersiwn Cymraeg gan:
@ebol, Adeiladau'r Fagwyr, Llandre, Aberystwyth, Ceredigion SY24 5AQ

ISBN 0-9547578-4-X

Addasiad Cymraeg gan Siôn Wyn Evans
Golygwyd gan Robin Bateman
Paratowyd ar gyfer y wasg gan Glyn Saunders Jones
Dyluniwyd gan Owain Hammonds
Clawr gan Stiwdio Ceri Jones

Aelodau'r Pwyllgor Monitro: Elfed Williams, Ysgol Brynrefail, Llanrug, Caernarfon
                              Geraint Herbert Evans, Ysgol Gyfun Gŵyr, Abertawe

Argraffwyd gan: Gwasg Gomer, Llandysul

Gwerth Lle a Threfnu

1 Beth ydy'r rhifau mwyaf a'r rhifau lleiaf y mae'n bosibl eu gwneud â'r setiau hyn o ddigidau? Sgrifennwch bob rhif mewn geiriau.

a) 4, 7, 9, 1

b) 4, 7, 9, 1, a phwynt degol rhwng dau ddigid

c) 3, 0, 4, 9

ch) 3, 0, 4, 9, a phwynt degol rhwng dau ddigid

d) 1, 2, 3, 7, 8

dd) 1, 2, 3, 7, 9

2 Beth ydy gwerth y digid 8 ym mhob un o'r rhifau hyn?

a) 548.9

b) 784.2

c) 76.8

ch) 4.081

d) 86560

dd) 9.548

e) 7801

f) 823456

ff) 18450

3 Faint o newid y byddai Aled yn ei gael o £10 pe byddai'n prynu:

a) cylchgrawn sy'n costio £3.10?

b) gwn glud sy'n costio £7.98?

c) sbectol haul sy'n costio £8.46?

ch) cap sy'n costio £7.63?

Ddylwn i ddim fod wedi gadael i Aled brynu'r gwn glud yna.

4 Nodwch y pedwar rhif nesaf ym mhob un o'r pedwar dilyniant yma.

a) 1.2   1.3   1.4   1.5   ....

b) 6.14   6.15   6.16   6.17   ....

c) 9.4   9.3   9.2   9.1   ....

ch) 0.56   0.55   0.54   0.53   ....

5 Cyfrifwch atebion y symiau hyn. Wedyn nodwch pa rai sydd â'r un atebion.

a) $3.4 \times 100 =$

b) $34 \times 0.1 =$

c) $2.7 \div 10 =$

ch) $340 \div 100 =$

d) $0.27 \times 100 =$

dd) $3400 \times 0.1 =$

> Mae **lluosi** rhif positif â 10, 100, 1000 ac ati yn gwneud rhif **mwy**.
>
> Mae **rhannu** rhif positif â 10, 100, 1000 ac ati yn gwneud rhif **llai**.

6 Llenwch y bylchau:

a) $5.2 \times 100 = 5.2 \div ....$

b) $67 \div 100 = 67 \times ....$

c) $0.7 \times 100 = 0.7 \div ....$

ch) $8000 \times 0.01 = 8000 \div ....$

Gwerth Lle – rhywbeth sy'n werth dysgu amdano

Mae gwerth lle yn wirioneddol bwysig yn ein system rifau. Dyma pam mae deg digid gwahanol yn ddigon. Os nad ydych yn deall unrhyw beth ar y dudalen hon, **peidiwch** â mynd ymlaen yn y llyfr hwn. Gwnewch yn sicr eich bod yn deall gwerth lle yn **iawn**. Mae hyn yn bwysig a bydd yn werth yr ymdrech yn y pen draw.

Gwerth Lle a Threfnu

1   Gosodwch y rhifau hyn mewn trefn, o'r lleiaf i'r mwyaf.

a)   1.54   1.71   1.98   1.3   1.89   1.5   1.62

b)   102.8   101.2   100.3   102.89   100.4   101.6   100.43

c)   4   0   −1   −10   2   5   −3

ch) 7.41   7.36   7.13   7.09   7.4   7.18   7.21

2   Gosodwch y mesuriadau hyn mewn trefn ddisgynnol.

a)   4.0 cm   4.1 cm   2.3 cm   3.1 cm   2.0 cm   3.9 cm   0.9 cm

b)   76.1 km   79.1 km   74.9 km   74.1 km   75.2 km   78.7 km   74.3 km

c)   0.102 m   0.219 m   0.020 m   0.009 m   0.021 m   0.012 m   0.220 m

ch) 40.73 g   40.93 g   40.81 g   41.06 g   40.07 g   41.10 g   40.70 g

3   Rhowch y symbolau cywir (< , = neu >) yn y blychau yn y datganiadau hyn.

a)   9.1 ☐ 8.9   ch) 0.6 ☐ 3/5

b)   0.139 ☐ 0.141   d)   107.61 ☐ 106.71

c)   −7 ☐ −4   dd) −76.7 ☐ −77.6

4   Nodwch rif sydd rhwng y ddau rif ym mhob un o'r parau hyn.

a)   3.0 a 3.5   ch) 3.72 a 3.76

b)   10.4 a 10.7   d)   9.21 a 9.22

c)   6.3 a 6.4   dd) 0.54 a 0.55

5   Nodwch y rhifau sydd hanner ffordd rhwng y parau hyn.

a)   0.01 a 0.02   ch) 0.04 a 0.06

b)   4.3 a 4.4   d)   3.1 a 3.4

c)   101.7 a 101.8   dd) −3.1 a −3.2

6   Rhestrwch y rhifau cyfain sy'n dilyn y rheolau hyn.

a)   7 < ? < 12   c)   223 < ? < 229

b)   102 < ? < 108   ch) 23 < ? < 29

Mae angen trefn

Yn ddelfrydol, dylech fedru trefnu nifer fach o rifau syml heb hyd yn oed feddwl am y peth. Os gwelwch set felly o rifau, byddwch yn gwybod yn syth beth ydy eu trefn. Mewn sefyllfa fwy cymhleth mae angen strategaeth. Ond beth bynnag y bo'r sefyllfa, mae angen digon o ymarfer.

Gwerth Lle a Threfnu

1 Mae'r tabl hwn yn dangos y tymheredd am hanner nos a hanner dydd mewn chwe dinas o gwmpas y byd. Nodwch y gwerthoedd (a) i (d) sydd ar goll.

	Dinas	Tymheredd am hanner nos (°C)	Tymheredd am hanner dydd (°C)	Codiad yn y tymheredd (°C)
	Barcelona	5	12	7
a)	Calgary	−22	−12	
b)	Lima		26	12
c)	Singapore	22		9
ch)	Moskva	−15	−7	
d)	Casnewydd	−1		7

2 Mae Elin yn teithio mewn lifft. Pa loriau fydd diwedd y daith bob tro?

a)   Mae'n dechrau ar y llawr isaf.
    Wedyn mae'n mynd i fyny 7 llawr ac i lawr 3 llawr.
b)   Mae'n dechrau ar y trydydd llawr.
    Wedyn mae'n mynd i fyny 7 llawr ac i lawr 4 llawr.
c)   Mae'n dechrau yn y seler ac wedyn yn mynd i fyny 8 llawr ac i lawr 7.
ch) Mae'n dechrau ar lawr 5, yn mynd i lawr 2 lawr, i fyny 6 ac i lawr 10.

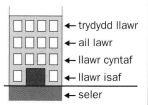

← trydydd llawr
← ail lawr
← llawr cyntaf
← llawr isaf
← seler

3 Mae Hywel yn cael helynt efo'i arian.
   Cyfrifwch faint y mae mewn dyled neu faint sydd ganddo ar ôl bob tro.

a)   Mae ar Hywel £4 i'w fam. Mae'n lleihau ei ddyled £3.50 drwy olchi car ei fam.
b)   Mae gan Hywel £4.50 Mae'n prynu llyfr £9.25 drwy gael benthyg y gweddill.
c)   Mae ganddo 50c, mae'n cael £28 ar ei ben-blwydd ac yn prynu 2 CD am £13.50 yr un.

4 Mae'r Môr Marw 400 m o dan lefel y môr. Mae Llyn Titicaca 3810 m uwchben lefel y môr. Faint ydy'r gwahaniaeth mewn uchder rhwng y ddau?

5 Mae gan Siôn frawd bach o'r enw Harri. Mae Siôn 3 blynedd yn hŷn na Harri. Rhowch dri oed posibl ar gyfer Siôn a Harri.

6 Gorffennwch lenwi'r tri sgwâr hud.

?	2	−6
?	?	?
0	−8	−1

−5	?	?
?	−2	−3
0	?	1

?	4	0
?	−1	?
−2	−6	?

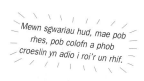

Mewn sgwariau hud, mae pob rhes, pob colofn a phob croeslin yn adio i roi'r un rhif.

Mae hyn yn cyfrif

Mae'r deunydd sydd ar y dudalen hon yn eithaf defnyddiol a chlywch chi ddim hynny'n cael ei ddweud yn aml am dudalen o fathemateg. Yn aml, byddwch yn cyfrifo'r gwahaniaeth rhwng pethau, felly gwnewch yn sicr eich bod yn gwybod sut i wneud hynny.

Gwerth Lle, Trefnu a Thalgrynnu

1 Talgrynnwch y rhifau hyn:
(i) i 2 le degol; (ii) i 1 lle degol; (iii) i'r rhif cyfan agosaf.

a) 6.128   c) 0.063   d) 0.481

b) 5.914   ch) 11.959   dd) 1.198

Talgrynnwch y rhifau yn fras – digon i chi gael rhyw syniad o'r ateb.

2 Ar gyfer pob sym, gwiriwch pa un o'r pedwar ateb sy'n gywir trwy dalgrynnu.

a) 3.1 × 9.7 ≈ *3 × 10 = 30*   300.7   (30.07)   0.3007   3.007

b) 53 × 72 ≈   381.6   38.16   3816   38160

c) 1169 ÷ 14 ≈   8350   8.35   0.835   83.5

ch) 0.09 × 442 ≈   3.978   39.78   397.8   0.3978

d) 17.28 ÷ 2.7 ≈   640   64   6.4   0.64

dd) 0.9 × 0.06 ≈   0.54   5.4   0.054   0.0054

3 Mae Wayne yn chwaraewr tennis bwrdd ac mae'n rhy drwm. Mae ei hyfforddwr yn penderfynu ei bwyso. 'Roedd Wayne yn arfer pwyso 62 kg, ond erbyn hyn mae'n 2.9 gwaith yn drymach.

Amcangyfrifwch faint ydy màs Wayne. Dangoswch eich gwaith.

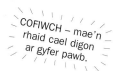

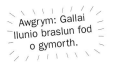

COFIWCH – mae'n rhaid cael digon ar gyfer pawb.

4 Mae Derek yn prynu bwyd a diod ar gyfer parti ei chwaer. Bydd 25 o blant yn y parti.

a) Faint ydy'r nifer lleiaf o bob peth y mae angen iddo'i brynu fel bod gan bob un o'r plant ei siâr o bob peth?

(i) 1 llond bag o greision – Mae creision yn cael eu gwerthu mewn pecynnau o 15 bag.

(ii) 3 gwydraid o ddiod cola – Mae cola yn cael ei werthu fesul potel ac mae 1 botel cola yn dal digon ar gyfer 10 gwydraid.

(iii) 1 rhôl sosej – Mae rholiau sosej yn cael eu gwerthu mewn pecynnau o 4.

(iv) 1 bar siocled – Mae bariau siocled yn cael eu gwerthu mewn pecynnau o 9.

b) Mae mam Derek yn rhoi'r holl fwyd sydd heb ei ddefnyddio i Derek a'i ffrindiau. Beth gafodd Derek a'i ffrindiau?

5 Mae llofft Lisa yn mesur 3.7 m o hyd a 3.9 m o led. Mae Lisa yn mynd i brynu teils carped, sy'n sgwariau 50 cm, ar gyfer y llawr. Faint o'r teils carped y bydd arni eu hangen?

Awgrym: Gallai llunio braslun fod o gymorth.

Pump ydy'r un

Pump ydy'r un i gofio amdano. Os ydych yn talgrynnu i'r **deg agosaf**, yna pan ddowch at bump dylech **dalgrynnu i fyny**. Dyna'r cwbl, i ddweud y gwir. Mae popeth arall yn gwbl amlwg. Felly peidiwch â bod yn ddiog a dysgwch am bump.

Priodweddau Rhifau

1   Cysylltwch bob rhif â'r un sy'n hafal iddo.

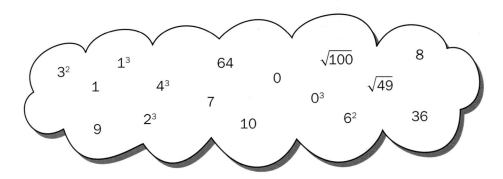

3^2 1^3 64 $\sqrt{100}$ 8

1 4^3 0 $\sqrt{49}$

7 0^3

9 2^3 10 6^2 36

2   Copïwch a gorffennwch y brawddegau. Mae'r gyntaf wedi'i gwneud i chi.

a)   Mae $\sqrt{3.9}$ yn rhif rhwng 1 a 2

b)   Mae $\sqrt{10.5}$ yn rhif rhwng ... a ...

c)   Mae $\sqrt{6.4}$ yn rhif rhwng ... a ...

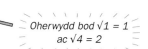

Oherwydd bod $\sqrt{1} = 1$
ac $\sqrt{4} = 2$

3   Defnyddiwch eich cyfrifiannell i gyfrifo'r rhain.

a) 13^2 d) 1.3^2

b) $\sqrt{289}$ dd) $\sqrt{10}$ (i 1 ll.d.)

c) 0.2^3 e) 199^2

ch) 1.9^3 f) $\sqrt{59}$ (i 1 ll.d.)

4   Nodwch y rhifau sgwâr hyd at 13^2. Chwiliwch am ddau rif sgwâr sy'n adio i wneud rhif sgwâr arall.

5   Dyma batrwm rhifau (sy'n cael eu galw yn rhifau triongl).

 1   **3**    **6**

a)   Lluniwch y tri siâp nesaf yn y patrwm.

b)   Sawl dot sydd ar res isaf:

(i) y 3ydd siâp;   (ii) y 5ed siâp;   (iii) y 25ed siâp?

c)   Adiwch unrhyw ddau rif triongl olynol gyda'i gilydd. Beth ydych yn sylwi arno?

Priodweddau Rhifau

1   Nodwch yr holl rifau cysefin hyd at 30.

2   Nodwch yr holl ffactorau sydd gan y rhifau hyn.

   a) 10   ch) 48   e)   70
   b) 28   d)   72   f)   42
   c) 7   dd) 25   ff) 180

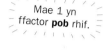

Mae 1 yn ffactor **pob** rhif.

Gogr, rhidyll, hidl: mae nifer o eiriau am "sieve" yn Gymraeg

3   Beth ydy ffactor cyffredin mwyaf (FfCM) y rhain.

   a) 25 a 70   c)   48 a 28
   b) 28 a 42   ch) 72 a 180

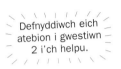

Defnyddiwch eich atebion i gwestiwn 2 i'ch helpu.

DEFNYDDIO GOGR ERATOSTHENES
1. Gosodwch y rhifau 1 i 100 mewn grid 10x10.
2. Lliwiwch y sgwâr lle mae 1.
3. Lliwiwch y sgwariau lle mae lluosrifau 2 (sy'n fwy na 2).
4. Lliwiwch y sgwariau lle mae lluosrifau 3 (sy'n fwy na 3).
5. Ewch ymlaen fel hyn gyda'r holl rifau hyd at 100.

4   Beth ydy lluoswm cyffredin lleiaf (LlCLl) y rhain.

   a) 3 ac 8   c)   6 a 9
   b) 8 a 12   ch) 18 a 24

5   Chwiliwch am y rhifau cysefin hyd at 100 trwy ddefnyddio gogr Eratosthenes.

6   Mae pob disgrifiad yma yn gywir ar gyfer un rhif yn unig.
    Nodwch y rhif hwnnw bob tro.

   a)   ffactor 14 sy'n odrif ac yn fwy nag 1
   b)   ffactor cyffredin 36 a 60 sydd â 2 ddigid
   c)   lluoswm cyffredin lleiaf 10 ac 16
   ch) yr odrif mwyaf sy'n ffactor 18
   d)   ffactor cyffredin lleiaf 16 a 24 ond nid 1
   dd) ffactor cyffredin mwyaf 8, 28 a 60

7   Llenwch y bylchau sydd yn y tablau lluosi. Mae'r tabl cyntaf wedi'i wneud i chi.

✕	3	8
7	21	56
5	15	40

✕		
	12	6
	66	33

✕		
	24	108
	32	144

Ffactorau – mae'r rhain yn gallu bod yn ddigon cyffredin

Mae yna ychydig o dermau y mae angen i chi eu dysgu ar y dudalen hon, fel Ffactor Cyffredin Mwyaf (FfCM) a Lluoswm Cyffredin Lleiaf (LlCLl). Gwnewch yn sicr eich bod yn gwybod beth ydynt a sut i gael hyd iddynt.

Priodweddau Rhifau

1 **Sgrifennwch:**

a) 3 × 3 × 3 × 3 ar ffurf pŵer o 3

b) 4 × 4 × 4 × 4 × 4 ar ffurf pŵer o 4

c) 10 × 10 × 10 × 10 × 10 × 10 × 10 ar ffurf pŵer o 10

ch) 25 × 25 ar ffurf pŵer o 25

Dyna dad Wayne

2 **Sgrifennwch:**

a) 8 ar ffurf pŵer o 2

b) 27 ar ffurf pŵer o 3

c) 16 ar ffurf pŵer o 4

ch) 16 ar ffurf pŵer o 2

d) 1000 ar ffurf pŵer o 10

dd) 125 ar ffurf pŵer o 5

3 **Sgrifennwch bob un o'r rhifau canlynol ar ffurf lluoswm rhifau cysefin.**

a) 12

b) 36

c) 42

ch) 75

d) 126

dd) 44

e) 54

f) 100

Mae lluoswm yn awgrymu lluosi.

4 **Sgrifennwch bob un o'r atebion i gwestiwn 3 ar ffurf indecs.**

Mae ffurf indecs yn golygu defnyddio pwerau, e.e. 3^2

5 **Cysylltwch y rhifau sydd yr un faint. Mae un wedi'i wneud i chi.**

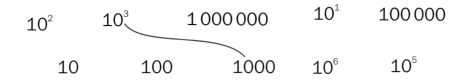

10^2 10^3 1 000 000 10^1 100 000

10 100 1000 10^6 10^5

6 **Mae gan Melisa 10 llond jar o felysion gyda 100 o felysion ym mhob un. Faint o felysion sydd ganddi i gyd? Sgrifennwch eich ateb ar ffurf indecs gan ddefnyddio pŵer o 10.**

7 **Os ydy 10,000 o bobl yn prynu un ticed yr un i fynd i mewn i faes pêl-droed Clwb Bryn Coch bob wythnos, faint o dicedi fydd wedi'u gwerthu ar ôl 10 wythnos? Sgrifennwch eich ateb ar ffurf pŵer o 10.**

Indecsau – dyma bethau pwerus

Dylech ddod i ddeall y ffurf indecs. Mae'n ddefnyddiol iawn pan fydd arnoch angen sgrifennu rhifau sy'n wirioneddol fawr, fel miliwn miliwn miliwn miliwn miliwn miliwn miliwn miliwn miliwn miliwn miliwn miliwn (10^{72}).

Ffracsiynau

1   Llenwch y bylchau yn y ffracsiynau cywerth hyn.

a)   1/2 = ☐/6 = ☐/12 = 2/☐ = ☐/40 = ☐/100 = 250/☐

b)   1/3 = ☐/12 = 3/☐ = ☐/90 = ☐/21 = 10/☐ = ☐/900

c)   1/5 = ☐/10 = ☐/100 = 4/☐ = ☐/35 = ☐/200 = 100/☐

ch)   3/7 = 6/☐ = ☐/21 = ☐/49 = 12/☐ = 60/☐ = ☐/350

> Cofiwch:
> 1/2 = 2/4 = 3/6
> ac felly ymlaen.

2   Mynegwch bob un o'r ffracsiynau yma ar ei ffurf symlaf.

a) $\dfrac{3}{9}$ c) $\dfrac{28}{35}$ d) $\dfrac{1500}{3500}$

b) $\dfrac{50}{200}$ ch) $\dfrac{28}{63}$ dd) $\dfrac{237}{2370}$

> Canslo ydy enw
> arall am hyn.

3   Newidiwch y ffracsiynau pendrwm yn rhifau cymysg.

a) $\dfrac{5}{2}$ c) $\dfrac{15}{7}$ d) $\dfrac{9}{4}$

b) $\dfrac{35}{10}$ ch) $\dfrac{15}{6}$ dd) $\dfrac{18}{5}$

> Newidiwch y rhain yn rhifau
> cyfain a ffracsiynau.

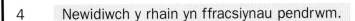

4   Newidiwch y rhain yn ffracsiynau pendrwm.

a) $2\dfrac{1}{2}$ c) $3\dfrac{1}{5}$ d) $5\dfrac{3}{10}$

b) $1\dfrac{1}{4}$ ch) $2\dfrac{2}{7}$ dd) $4\dfrac{3}{8}$

5   Nodwch leoliad y ffracsiynau hyn ar linell rif fel hon.

a) $\dfrac{1}{3}$ c) $\dfrac{3}{4}$ d) $\dfrac{9}{10}$

b) $\dfrac{5}{8}$ ch) $\dfrac{2}{5}$ dd) $\dfrac{1}{10}$

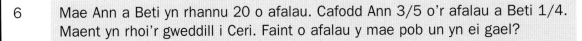

6   Mae Ann a Beti yn rhannu 20 o afalau. Cafodd Ann 3/5 o'r afalau a Beti 1/4. Maent yn rhoi'r gweddill i Ceri. Faint o afalau y mae pob un yn ei gael?

7   Mae Ysbaddaden Bencawr yn hoffi bwyta. Mae'n ceisio bwyta cymaint ag y mae'n gallu, pa bryd bynnag y mae'n gallu. A ydych yn tybio y byddai'n well gan Ysbaddaden gael 3/4 pitsa ynteu 5/8 o bitsa? Rhowch reswm dros eich ateb.

Ffracsiynau – mae angen gwneud mwy na hanner eu dysgu

Mae'n syniad da i chi wybod beth ydy maint y ffracsiynau a welwch amlaf. Er enghraifft, mae 2/3 yn fwy na 1/2 ond yn llai na 3/4. Mae mynegi ffracsiynau ar eu ffurfiau symlaf hefyd yn eithaf defnyddiol. Ewch ati.

Newid Ffracsiynau

1   Newidiwch y ffracsiynau hyn yn ddegolion.

a) $\dfrac{1}{2}$ ch) $\dfrac{1}{16}$ e) $\dfrac{1}{10}$

b) $\dfrac{1}{4}$ d) $\dfrac{3}{4}$ f) $\dfrac{3}{10}$

c) $\dfrac{1}{8}$ Awgrym: Mae 1/8 yn hanner 1/4   dd) $\dfrac{3}{8}$ ff) $\dfrac{3}{20}$

2   Cwblhewch y gwaith cyfrifo ar gyfer newid ffracsiynau yn ddegolion.
Mae'r cyntaf wedi'i wneud i chi.

a) $\dfrac{1}{2} = \dfrac{\mathbf{5}}{10} = \boxed{0.5}$ ch) $\dfrac{2}{5} = \dfrac{}{10} = \square$ e) $\dfrac{7}{50} = \dfrac{}{100} = \square$

b) $\dfrac{1}{4} = \dfrac{}{100} = \square$ d) $\dfrac{3}{20} = \dfrac{}{100} = \square$ f) $\dfrac{39}{50} = \dfrac{}{100} = \square$

c) $\dfrac{1}{5} = \dfrac{}{10} = \square$ dd) $\dfrac{3}{25} = \dfrac{}{100} = \square$ ff) $\dfrac{13}{25} = \dfrac{}{100} = \square$

3   Newidiwch y ffracsiynau hyn yn ganrannau.

a) $\dfrac{1}{2}$ c) $\dfrac{3}{4}$ d) $\dfrac{3}{20}$ e) $\dfrac{3}{25}$

b) $\dfrac{1}{4}$ ch) $\dfrac{3}{10}$ dd) $\dfrac{4}{5}$ f) $\dfrac{7}{25}$

4   Newidiwch y canrannau hyn yn ddegolion ac yna yn ffracsiynau.

a) 10%   c) 25%   d) 70%   e) 150%
b) 20%   ch) 30%   dd) 80%   f) 225%

5   Defnyddiwch gyfrifiannell i newid y rhain yn ddegolion.
Rhowch eich ateb i 3 lle degol lle bo'n briodol.

a) $\dfrac{1}{8}$ c) $\dfrac{1}{7}$ d) $\dfrac{29}{200}$ e) $\dfrac{1}{3}$

b) $\dfrac{3}{16}$ ch) $\dfrac{3}{11}$ dd) $\dfrac{23}{200}$ f) $\dfrac{2}{3}$

6   Newidiwch 1/9, 2/9, 3/9 yn ddegolion.
A ydych yn sylwi ar unrhyw batrwm neu ar unrhyw beth arall?

Byddai'r dudalen yma'n gwneud awyren bapur eithaf da!

Cofiwch y dull Ffracsiwn-Degolyn-Canran ac ni ewch ar goll (o bosibl). Rhannwch y ffracsiwn i gael y degolyn, ac yna lluoswch â 100 i gael y canran.

Trefnu Ffracsiynau

1   Gosodwch y ffracsiynau hyn mewn trefn esgynnol.

a) $\dfrac{1}{2}$ $\dfrac{1}{4}$ $\dfrac{3}{4}$ $\dfrac{5}{8}$ $\dfrac{3}{8}$

ch) $\dfrac{4}{5}$ $\dfrac{1}{2}$ $\dfrac{5}{6}$ $\dfrac{2}{3}$ $\dfrac{3}{4}$

b) $\dfrac{1}{16}$ $\dfrac{3}{8}$ $\dfrac{3}{16}$ $\dfrac{5}{8}$ $\dfrac{3}{4}$ $\dfrac{15}{16}$

d) $\dfrac{1}{100}$ $\dfrac{1}{50}$ $\dfrac{3}{25}$ $\dfrac{7}{100}$ $\dfrac{3}{10}$

c) $\dfrac{1}{3}$ $\dfrac{1}{6}$ $\dfrac{5}{6}$ $\dfrac{2}{3}$ $\dfrac{1}{2}$ 1

dd) $\dfrac{77}{100}$ $\dfrac{39}{50}$ $\dfrac{19}{25}$ $\dfrac{23}{25}$

2   Nodwch ffracsiwn cyffredin sydd rhwng y ddau rif ym mhob un o'r parau.

a) $\dfrac{1}{4}$ a $\dfrac{1}{2}$

ch) $\dfrac{1}{3}$ a $\dfrac{2}{3}$

e) $\dfrac{4}{50}$ ac $\dfrac{1}{10}$

b)   0 a $\dfrac{1}{3}$

d) $\dfrac{5}{8}$ a $\dfrac{3}{4}$

f)   0.7 a 0.8

c) $\dfrac{4}{5}$ ac 1

dd) $\dfrac{4}{10}$ a $\dfrac{1}{2}$

Rhwng pa ffracsiynau yr wyt ti?

3   Dyma setiau o dri rhif. Ar gyfer pob set, gosodwch y rhifau mewn trefn ddisgynnol.

a) $\dfrac{7}{10}$ 50%   0.4

d)   0.11   10% $\dfrac{1}{11}$

b)   80% $\dfrac{3}{5}$ 0.7

dd) $\dfrac{1}{3}$ 33%   0.04

c)   35% $\dfrac{9}{20}$ 0.33

e)   4% $\dfrac{4}{10}$ 0.39

ch) 0.91   99% $\dfrac{9}{10}$

f) $\dfrac{13}{25}$ 53.5%   0.531

4   Edrychwch ar y rhifau sydd yma. Rhowch nhw mewn pedair set o dri rhif sydd â'r un gwerth.

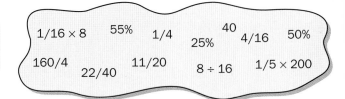

1/16 × 8   55%   1/4   40   4/16   50%   25%   160/4   22/40   11/20   8 ÷ 16   1/5 × 200

5   Mae Hen Fodryb Mari yn gwneud ei hewyllys. Mae'n penderfynu gadael 1/4 o'i heiddo i Lari, 3/8 i Gari a'r gweddill i Glwb y Llwynog. Mae'n gadael £1500 i Lari.

a)   Faint mae Gari yn ei gael?

b)   Faint sydd ar ôl i Siôn Blewyn Coch?

6   Mae Dyfan, Dyfrig, Eira ac Eirlys yn rhannu un dorth o Fara Cawr. Mae Dyfan yn cymryd 1/4, mae Eira yn cymryd 3/8 ac Eirlys yn cymryd 3/16. Faint sydd ar ôl i Dyfrig?

Ffracsiynau o Siapiau a Mesurau

1   Pa ffracsiwn o bob un o'r siapiau hyn sydd wedi'i dywyllu?

a) 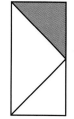   c)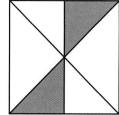

d)

b) 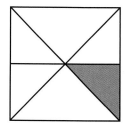   ch) 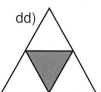   dd)

2   Pa ffracsiwn o bob un o'r siapiau hyn sydd wedi'i dywyllu?

a) 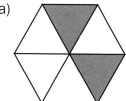   b) 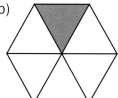   c) 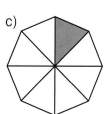   ch) 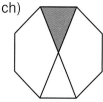   d)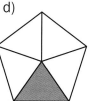

3   Tynnwch luniau tri phetryal, 3 cm wrth 4 cm, a'u labelu yn A, B ac C.

a)   Tywyllwch un rhan o A sy'n 3/8 yr arwynebedd.

b)   Tywyllwch un rhan o B sy'n 5/6 yr arwynebedd.

c)   Tywyllwch un rhan o C sy'n 3/16 yr arwynebedd.

4   Cyfrifwch:

a)   1/4 o 8 m   ch)   4 × 1/8

b)   1/10 o 340 kg   d)   16 × 0.2

c)   1/9 o £36   dd)   £27 ÷ 9

Ffracsiynau o Rifau a Mesurau

1   Tynnwch linellau i gysylltu gwerthoedd sydd yr un faint.

50% o 8   10% o 50 $\frac{1}{3}$ o 57   810 ÷ 9   72 × $\frac{1}{6}$

0.25 × 76   1% o 200   10% o 120   16 × $\frac{1}{8}$

40% o 200   450 × $\frac{1}{5}$ 32 ÷ 8   0.2 × 400 $\frac{1}{5}$ o 25

2   Cyfrifwch y canrannau hyn yn eich pen.

a)   50% o 400   d)   20% o 25
b)   25% o 200   dd) 75% o 12
c)   10% o 250   e)   80% o 10
ch) 1% o 600   f)   15% o 240

3   Cyfrifwch y rhain heb ddefnyddio eich cyfrifiannell.

a)   10% o £34   d)   60% o 1 m (mewn cm)
b)   10% o £5   dd) 60% o 1 cm (mewn mm)
c)   5% o £1   e)   50% o 1 km (mewn m)
ch) 5% o £15   f)   5% o 1 km (mewn m)

4   Cewch ddefnyddio eich cyfrifiannell i gyfrifo'r rhain.

a)   12% o £54.20   d)   28% o £100.80
b)   21% o 43 m   dd) 62% o 1 kg (mewn g)
c)   2/3 o £66.66   e)   51% o £84.20
ch) 3/8 o 54 kg   f)   91% o 540 g

Mynegwch bob un o'ch atebion i radd synhwyrol o gywirdeb.

5   Mae Mr Parri yn talu i Mario am lanhau ceir. Bydd Mario yn cael ei dalu (mewn £), naill ai 25% o rif y tŷ neu 3 gwaith nifer y ceir. Pa ddull y dylai Mario ei ddewis er mwyn ennill y mwyaf o bres?

Ffracsiynau, canrannau, degolion – ffyrdd gwahanol o ddweud yr un peth

Ewch chi ddim yn bell ohoni os cofiwch y ddwy reol a ddylai fod yn ddigon eglur i unrhyw un: mae "%" yn golygu "÷ 100", ac "o" yn golygu "×". Dydy'r rhain ddim mwy na ffyrdd gwahanol o sgrifennu'r un peth, fel sy'n digwydd yn aml mewn mathemateg.

Cyfrannedd

1   Atebwch y cwestiynau ar gyfer pob un o'r siapiau hyn.

a)    b) 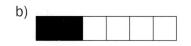   c)    ch)

d) 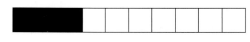   dd) 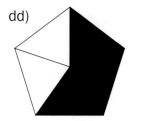   e)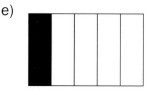

(i)   Cyfrifwch y ffracsiwn o'r siâp sy'n ddu a'r ffracsiwn sy'n wyn.

(ii)   Sgrifennwch atebion rhan (i) ar ffurf ffracsiynau degol.

(iii) Newidiwch atebion rhan (i) yn ganrannau.

(iv)   Nodwch gymhareb y gwyn i'r du yn y siâp.

2   Mewn sw mae nifer y dodoaid deirgwaith nifer y mamothiaid.
    Os oes chwe mamoth yn y sw, sawl dodo sydd yna?

3   Mae nifer y Tyrchod Trwyth 1/10 nifer y Cŵn Annwfn.
    Os oes 20 Ci Annwfn sawl Twrch Trwyth sydd yna?

4   Mae 5 ysglyfiwr i bob 3 thrichornfil.
    Os oes 9 trichornfil sawl ysglyfiwr sydd yna?

5   Yn y caffi yn y sw maent yn gwerthu "Diod Deinosor".
    I wneud 1 litr o'r Diod Deinosor mae angen 3 oren, 1 mango a 2 eirinen.
    Mae'r staff yn amcangyfrif y bydd angen 20 litr.
    Faint o bob un o'r ffrwythau y bydd angen eu prynu?

6   Ym mhob "Brechdan Brecwast" mae'r caffi yn rhoi 1 wy ac 1½ tomato.

    a)   Sawl brechdan y mae'n bosibl ei gwneud efo 12 wy?

    b)   Sawl brechdan y mae'n bosibl ei gwneud efo 9 tomato?

    c)   Un bore, mae 25 wy a 36 tomato ar gael. Sawl brechdan y mae'n
         bosibl ei gwneud? Beth fydd dros ben?

Adran Un – Rhifau a'r System Rifau

Cymarebau

1　Mynegwch y cymarebau hyn ar eu ffurfiau symlaf.

   a)　2:4　　　　　　　　　d)　20:80

   b)　3:9　　　　　　　　　dd)　16:2

   c)　20:30　　　　　　　　e)　21:7

   ch)　45:90　　　　　　　　f)　5:25

2　Rhannwch bob swm yn y gymhareb sydd wedi'i nodi.

   a)　£8 yn y gymhareb 1:1　　　　　d)　£100 yn y gymhareb 4:1

   b)　£6 yn y gymhareb 1:2　　　　　dd)　£100 yn y gymhareb 1:3

   c)　£12 yn y gymhareb 1:3　　　　　e)　£1.50 yn y gymhareb 2:1

   ch)　£24 yn y gymhareb 5:1　　　　　f)　£24 yn y gymhareb 1:7

3　Mewn coedwig mae coed derw a choed ffawydd yn y gymhareb 1:4.
　　Mae'r gymhareb yr un fath ym mhob rhan o'r goedwig.

   a)　Yn y goedwig mae 100 derwen. Sawl ffawydden sydd yna?

   b)　Faint o goed sydd yna i gyd?

   c)　Mae 200 o goed, yn un rhan o'r goedwig, yn cael eu torri i lawr efo bwyell gan ddyn o'i bwyll.
　　　　Faint o goed y byddech yn disgwyl iddynt fod yn dderw?

4　Mae Cynan, Gwilym, Dwynwen a Gwyneth yn ddisgyblion mewn ysgolion gwahanol.

   a)　Yn nosbarth Cynan mae 14 merch a 12 bachgen.
　　　　Nodwch gymhareb nifer y merched i nifer y bechgyn ar ei ffurf symlaf.

   b)　Yn nosbarth Gwilym cymhareb y merched i'r bechgyn ydy 4:5.
　　　　Os oes 12 o ferched, faint o blant sydd yn y dosbarth i gyd?

   c)　Yn nosbarth Drama Dwynwen mae 3 bachgen a 4 merch. Beth ydy cymhareb y bechgyn
　　　　i'r merched? Mae Gordon yn cyrraedd. Beth sy'n digwydd i'r gymhareb wedyn?

   ch)　Mae Gwyneth mewn dosbarth o 22 bachgen a 10 merch.
　　　　Beth ydy cymhareb y bechgyn i'r merched a chymhareb y merched i'r bechgyn?

5　Mae 6 tyranosor, 3 brontosor a 3 ysglyfiwr mewn sw.

   a)　Beth ydy cymhareb y brontosoriaid i'r ysglyfwyr?

   b)　Beth ydy cymhareb y brontosoriaid i'r tyranosoriaid?

   c)　Beth ydy'r gymhareb ysglyfwyr : anifeiliaid i gyd?

Ai cymarebau ydy gŵr a gwraig?

Mae'n syniad da adio'r rhifau sydd mewn cymhareb i gael cyfanswm y rhannau ac yna gallwch ddarganfod beth ydy un rhan. Gwnewch y gwaith sydd yma drosodd a throsodd hyd nes y cewch y cwbl yn gywir.

Lluosi a Rhannu

Mae lluosi a rhannu yn bwysig **iawn**. Mae'n **rhaid** i chi fynd i'r afael â nhw.

1 Cyfrifwch y symiau lluosi hyn gan ddefnyddio unrhyw ddull hwylus.

a) $16 \times 9 =$

ch) $23 \times 99 =$

b) $15 \times 18 =$

d) $123 \times 29 =$

c) $43 \times 19 =$

dd) $123 \times 2.9 =$

> **Rhai dulliau hwylus** (rhag ofn eich bod wedi'u hanghofio)
> rhif $\times$ 9 = (y rhif $\times$ 10) – (y rhif $\times$ 1)
> rhif $\times$ 15 = (y rhif $\times$ 10) + (y rhif $\times$ 5)
> ac felly ymlaen ...

2 Nodwch y parau sydd â'r un gwerth, trwy dynnu llinell o gwmpas pob pâr.

a) $(3 + 2) \times 2$

ch) $(6 \div 3) \times 5$

b) $(5 + 4) \times 2$

d) $(10 \div 2) \times 3$

c) $3 \times (2 + 3)$

dd) $3 \times (2 + 4)$

3 Cyfrifwch y rhain yn eich pen.

a) $4 \times 11 \times 5$

c) $2 \times 7 \times 5 \times 5$

d) $\dfrac{1}{2} \times \dfrac{1}{4} \times 4 \times 10$

b) $7 \times 2 \times 7$

ch) $8 \times 4 \times 5 \times 2$

dd) $8 \times 3 \times 5 \times \dfrac{1}{4}$

4 Cyfrifwch bob sym rhannu ac yna nodwch sym lluosi sy'n cyfateb.

a) $112 \div 8$

c) $378 \div 21$

d) $\dfrac{204}{17}$

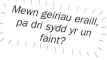

e.e. os ydy 24 ÷ 8 = 3 yna mae 3 × 8 = 24

b) $210 \div 14$

ch) $1071 \div 21$

dd) $2400/15$

5 Cyfrifwch y symiau sydd yma. Nodwch bob ateb mewn tair ffordd:

(i)   rhif + gweddill

(ii) rhif + ffracsiwn cyffredin

(iii) rhif + ffracsiwn degol (i 2 le degol yn (d) ac (dd)).

> e.e. (i) 23 ÷ 2 = 11 gweddill 1
> (ii) 23 ÷ 2 = 11½
> (iii) 23 ÷ 2 = 11.5

a) $25 \div 4 =$

c) $91 \div 8 =$

d) $91 \div 6 =$

b) $63 \div 12 =$

ch) $404 \div 40 =$

dd) $67 \div 3 =$

6 Mae gan dri o'r mynegiadau hyn yr un gwerth. Pa rai ydynt?

Mewn geiriau eraill, pa dri sydd yr un faint?

(**1**) $\dfrac{1}{4} \times 12.8$ (**2**) $\dfrac{1}{5} \times 17$ (**3**) $25.6 \times \dfrac{1}{8}$ (**4**) $19.2 \div 6$ (**5**) $21.7 \times \dfrac{1}{7}$

7 Mae gan John 626 o nionod wedi'u piclo mewn jar. Os ydy John yn eu rhannu rhwng 6 aelod ei deulu, faint fydd pob un yn ei gael?

Dysgwch eich tablau!

Mae angen dweud hyn eto: **mae lluosi a rhannu yn bwysig iawn**. Dylech lwyddo i wneud yr holl waith sydd ar y dudalen hon. Os cewch unrhyw gwestiynau'n **anghywir**, ewch yn ôl a'u gwneud **eto**.

Defnyddio Lluosi a Rhannu

1 Cyfrifwch y canlynol.

a) $4 + 3 \times 6$

ch) $24 + \dfrac{36}{4} + 2$

e) $(3 + 9^2) \div 4$

b) $(4 + 3) \times 6$

d) $24 + 36 \div (4 + 2)$

f) $3 + 9^2 \div 4$

c) $(24 + 36) \div (4 + 2)$

dd) $(3 + 9)^2 \div 4$

ff) $(3 + 9) \div 4^2$

2 Mae gan Sandhya 33 o ffa i'w gwerthu.
Sawl llond tun fydd ganddi os ydy pob tun yn dal:

a) 6 o ffa?

c) 10 o ffa?

b) 8 o ffa?

ch) 9 o ffa?

3 Mae Elfyn wedi casglu 148 lemon o'i goeden ac mae'n eu rhoi mewn bagiau.
Sawl llond bag fydd ganddo i'w werthu a sawl lemon fydd ar ôl iddo i'w fwyta:

a) os ydy pob bag yn dal 12 lemon?

c) os ydy pob bag yn dal 10 lemon?

b) os ydy pob bag yn dal 8 lemon?

ch) os ydy pob bag yn dal 20 lemon?

4 Ar ei phen-blwydd, cafodd Teleri £75 i fynd gyda'i ffrindiau i'r sinema.
Faint fydd yn gallu mynd yno os ydy mynd i'r sinema yn costio:

a) £5 yr un?

c) £11 yr un?

b) £8 yr un?

ch) £12.50 yr un?

5 Mae Mr Owen yn trefnu trip ysgol. Mae 632 o ddisgyblion yn mynd ar y trip.

a) Faint o fysiau y bydd eu hangen:
   (i) os ydy pob bws yn gallu cludo 50 o bobl?
   (ii) os ydy pob bws yn gallu cludo 75 o bobl?
   (iii) os ydy pob bws yn gallu cludo 64 o bobl?
   (iv) os ydy pob bws yn gallu cludo 70 o bobl?

b) Mae Mr Owen yn penderfynu bod angen dau athro ar bob bws. Faint o fysiau
y bydd eu hangen os ydy pob bws yn gallu cludo 60 o bobl?

6 Cewch ddefnyddio cyfrifiannell ar gyfer y canlynol. Gwnewch yn sicr bod eich atebion yn synhwyrol.

a) £43,189 ÷ 3

ch) 10 pitsa wedi'u rhannu rhwng 16 o bobl

b) 1546 kg ÷ 7

d) 568 o losin wedi'u rhannu rhwng 53 mwnci

c) 5 m ÷ 500

dd) 3 awr ÷ 9

Cromfachau – mae nhw'n bachu pethau gyda'i gilydd

Mae trin cromfachau yn ddigon hawdd. Bydd angen i chi gyfrifo beth sydd **y tu mewn** i'r gromfach yn gyntaf, cyn gwneud unrhyw beth arall. Cofiwch: **nid** yw $3 \times (1 + 2)$ yr un fath â $3 \times 1 + 2$.

Dulliau Pen – Adio a Thynnu

1   Darganfyddwch y rhifau sydd ar goll.

a) $46 + ? = 100$ ch) $0.7 + ? = 1$ e) $1.3 + ? = 10$

b) $71 + ? = 100$ d) $? + 0.4 = 1$ f) $? + 7.7 = 10$

c) $? + 67 = 100$ dd) $0.82 + ? = 1$ ff) $94.5 + ? = 100$

2   Cyfrifwch y rhain.

a) dwbl 640   ch) hanner 334.6   e) hanner 48 890

b) dwbl 43.6   d) dwbl 2350   f) hanner 2360

c) hanner 1240   dd) dwbl 580   ff) dwbl 986

3   Dyma fwy o rifau ar goll i chwi eu darganfod.

a) $4 \times \boxed{} = 6^2$ c) $39 + \boxed{} = 7^2$ d) $4^2 = 2 \times \boxed{}$ e) $5 \times \boxed{} = 10^2$

b) $19 + \boxed{} = 5^2$ ch) $8^2 = 39 + \boxed{}$ dd) $36 \times \boxed{} = 12^2$ f) $11^2 = 10^2 + \boxed{}$

4   Cyfrifwch werthoedd y pwerau a'r israddau hyn.

a) 10^2, 1.0^2, 0.1^2 ch) $\sqrt{36}$, $\sqrt{0.36}$, $\sqrt{3600}$ e) 3^3

b) 3^2, 30^2, 0.3^2 d) $\sqrt{0.16}$ f) 5^3

c) 9^2, 0.9^2, 90^2 dd) $\sqrt{0.64}$ ff) $\sqrt[3]{8}$

5   Cwblhewch y tabl hwn.

Ffracsiwn	1/2	1/4		1/10			1/8		
Degolyn			0.2		1.25			0.01	2.1
Canran	50%			15%		175%			

6   Llenwch y bylchau:

a) 2 awr = …. munud = …. eiliad   d) Mae 5 milltir tua …. km.

b) 1 wythnos = …. diwrnod = …. awr   dd) 2.5 kg = …. g

c) 3 km = …. m = …. cm   e) Mae 1 kg tua …. lb.

ch) 5.5 m = …. cm = …. mm   f) Mae 1 galwyn tua …. litr.

Dulliau Pen – Adio a Thynnu

1 Gwnewch y symiau adio a thynnu hyn.

a) 8 + 23

ch) 59 + 43

e) 77 + 75

b) 23 + 38

d) 68 + 25

f) 66 – 28

c) 36 + 47

dd) 93 – 21

ff) 93 – 58

2 Mae'r rhain ychydig yn anoddach.

a) 8.8 + 3.1

ch) 11.7 – 4.6

e) 0.53 – 0.09

b) 6.9 + 3.5

d) 4.8 + 8.8

f) 3.21 – 1.23

c) 9.3 – 5.4

dd) 0.83 + 8.55

ff) 7.01 – 6.97

3 Cyfrifwch y rhain.

a) 8 – 4 – 5 + 7 =

d) – 3 – 7 – 2 + 12 =

b) – 4 – 7 + 5 – 3 =

dd) 120 – 140 + 60 – 40 =

c) – 10 + 23 + 5 – 8 =

e) 800 – 900 – 400 + 200 =

ch) 8 – 9 + 12 – 6 =

f) 5000 – 9000 + 3000 =

Efallai y byddai tynnu llinell rif yn eich helpu.

4 Rhowch gynnig ar y rhain.

a) 72 – 69

ch) 4.01 – 3.99

b) 201 – 199

d) 6.01 – 5.98

c) 6.1 – 5.9

dd) 0.11 – 0.09

5 Mewn gêm ddartiau sgoriodd Wil 69 efo tri dart siâp aderyn.
Sgoriodd 57 a 2 efo'r ddau ddart cyntaf. Faint sgoriodd efo'r trydydd dart?

6 Mae Guto a Ffowc wedi codi wal gerrig. Mae Guto wedi defnyddio 39 carreg a Ffowc 45.
Daeth Pero'r ci a gwthio 10 carreg o'r wal. Sawl carreg sydd ar ôl yn y wal?

7 Mae'r goeden y tu allan i dŷ Catrin 2.5 m yn uwch na'r corn simnai.
Mae pen y corn 9 m uwchben y ddaear. Faint ydy uchder y goeden?

Dulliau pen – defnyddiwch y rhain a byddwch yn ddisgyblion peniog …

Chwilio am driciau ydy'r gêm. Defnyddiwch driciau fel hollti symiau (e.e. hollti "34 – 12" i gael
"34 – 10 = 24" a "24 – 2 = 22"). Cofiwch gadw nodiadau ar bapur i gofio beth yr ydych wedi'i wneud.

Priodweddau Rhifau

1   Cyfrifwch y symiau heb ddefnyddio cyfrifiannell. Ceisiwch "gyfrif ymlaen".

a)   1009 – 998   ch) 6432 – 4950   e)   9.06 – 7.90

b)   3247 – 3236   d)   8025 – 7975   f)   0.546 – 0.380

c)   4135 – 3900   dd) 7400 – 3750

2   Cyfrifwch werth bob un o'r rhain.

a)   78 + 19   ch) 546 – 21   e)   3449 + 39
                                                                  ┌──────────────────────┐
b)   4.5 + 2.9   d)   783 – 29   f)   0.1234 + 0.09   │   *Cofiwch:*   │
                                                                  │ *78 + 19 = 78 + 20 – 1* │
c)   7.2 – 0.9   dd) 0.64 + 0.9   └──────────────────────┘

3   Mae'n bosibl gwneud y rhain drwy sylwi mai rhifau
     sydd tua'r un faint sydd mewn unrhyw sym.

a)   9.1 + 9.2   d)   4320 + 4325

b)   75 + 74   dd) 0.036 + 0.037

c)   0.17 + 0.18   e)   0.19 + 0.17

ch) 935 + 936   f)   3.2 + 3.3 + 3.4

4   Defnyddiwch yr wybodaeth sydd yn y blwch i gyfrifo'r rhain.

┌────────────────────────────┐
│ *793 + 1187 = 1980*   │   a)   141 – 83   d)   19.8 – 7.93
│   │
│ *841 – 198 = 643*   │   b)   7.93 + 11.87   dd) 0.0058 + 0.0083
│   │
│ *0.0141 – 0.0083 = 0.0058* │   c)   0.18 – 0.097   e)   64.3 + 19.8
│   │
│ *0.097 + 0.083 = 0.18*   │   ch) 8.41 – 1.98   f)   18 – 9.7
└────────────────────────────┘

5   Mae gan Jên £10 i brynu cinio. Nid yw am brynu mwy nag un o bob un o'r pethau canlynol.
     Pa bethau fydd hi'n medru eu prynu?

     byrgyr £4.99   sglodion £1.98   cacen siocled £1.99   diod oren £1.05

6   Mae £3 gan Daniel. Mae am wario cymaint o'i arian ag y mae'n gallu ar y pethau canlynol.
     Mae'n penderfynu prynu'r taffis. Nodwch y gwahanol bethau eraill y byddai Daniel yn medru
     eu prynu a faint o newid a fyddai bob tro.

     bar siocled 49c   potel cola 99c   hufen iâ 98c   llond bag o daffis £1.60

Priodweddau Rhifau

1   Cyfrifwch:

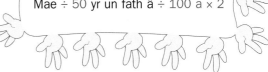

Help Llaw

Mae × 50 yr un fath â × 100 a ÷ 2

Mae ÷ 50 yr un fath â ÷ 100 a × 2

a)   560 × 50   d)   3400 ÷ 50

b)   50 × 47   dd) 5.5 ÷ 50

c)   620 × 500   e)   860 ÷ 500

ch) 0.47 × 50   f)   7.2 ÷ 50

2   Rhowch gynnig ar y rhain.

a)   2.3 × 12 = (2.3 × 10) + (2.3 × 2) =   d)   12 × 130 =

b)   4.3 × 32 = (4.3 × ?) + (4.3 × ?) =   dd) 410 × 201 =

c)   7.1 × 101 =   e)   23 × 99 =

ch) 15.3 × 12 =   f)   80 × 99 =

Cofiwch:
99 = 100 – 1

3   Cyfrifwch:

a)   5 × 27 × 2   c)   20 × 32 × 5   d)   25 × 47 × 40   e)   5 × 0.76 × 20

b)   25 × 7 × 4   ch) 20 × 7 × 5   dd) 50 × 72 × 20   f)   0.4 × 80 × 0.1

4   Defnyddiwch yr wybodaeth sydd yn y blwch i gyfrifo'r rhain.

a)   247 × 3.8   d)   938.6 ÷ 247

b)   0.612 ÷ 3.6   dd) 1.7 × 3.6

c)   19 × 3.4   e)   16269 ÷ 561

ch) 29 × 56.1   f)   64.6 ÷ 19

247 × 38 = 9386

16269 ÷ 29 = 561

6.46 ÷ 1.9 = 3.4

0.17 × 3.6 = 0.612

5   Mae Dei a'i dad yn torri rhaffau. 2.5 m ydy hyd un o'r rhaffau sydd ganddynt. Maent yn torri hon yn 8 darn. Mae pob darn yr un hyd. Faint ydy hyd pob darn? Rhowch eich ateb mewn tair ffordd: mewn metrau, mewn centimetrau ac mewn milimetrau.

Faint ydy hyd darn o raff?

Fyddwch chi ddim yn treulio llawer o'ch amser yn torri rhaffau mewn gwersi mathemateg, ond dylech feddwl o ddifrif am dorri symiau yn ddarnau llai. Dylai'r symiau llai fod yn haws i chi eu cyfrifo. Wrth ateb cwestiynau mewn geiriau, sgrifennwch nhw ar ffurf symiau yn gyntaf.

Priodweddau Rhifau

1 Gorffennwch y datganiadau hyn.

a) Os ydy $\frac{1}{5}$ = 0.2, yna mae $\frac{4}{5}$ =

b) Os ydy 0.1 = $\frac{1}{10}$, yna mae $\frac{7}{10}$ =

c) Os ydy 0.25 = $\frac{1}{4}$, yna mae $\frac{5}{4}$ =

ch) Os ydy $\frac{1}{8}$ = 0.125, yna mae $\frac{3}{8}$ =

d) Os ydy $\frac{7}{25}$ = 0.28, yna mae $\frac{14}{25}$ =

dd) Os ydy $\frac{6}{25}$ = 0.24, yna mae 0.12 =

e) Os ydy $\frac{8}{25}$ = 0.32, yna mae $\frac{12}{25}$ =

f) Os ydy $\frac{17}{50}$ = 0.34, yna mae $\frac{17}{100}$ =

2 Gorffennwch lenwi'r tabl hwn.

	a)	b)	c)	ch)	d)	dd)	e)	f)
Degolyn		0.15					0.8	
Ffracsiwn	27/100			73/100		1/20		170/100
Canran	27%		45%		120%			

3 Cyfrifwch y ffracsiynau a'r canrannau hyn.

a) $\frac{1}{4} \times 84$

b) 50% o 124

c) 80% o 5

ch) $\frac{3}{5}$ o 55

d) $32 \times \frac{3}{8}$

dd) 20% o 125

e) $\frac{4}{5}$ o 40

f) 75% o 200

4 Mae Mehdi yn rhannu pres i'w wario rhwng ei feibion. Mae ganddo £7.20 ac mae'n rhoi ¼ i Farzana, ⅓ i Ahmed ac ¹⁄₁₀ i Tariq. Mae Mehdi yn cadw'r gweddill. Faint o bres sydd gan bob un i'w wario?

5 Mae Ifor Hael yn rhoi teirgwaith yr hyn sy'n cael ei ofyn amdano. Pan ofynnwyd iddo am wyth ffracsiwn, rhoddodd bedwar ffracsiwn ar hugain, sef wyth set o dri ffracsiwn cywerth. Chwiliwch am y ffracsiynau cywerth.

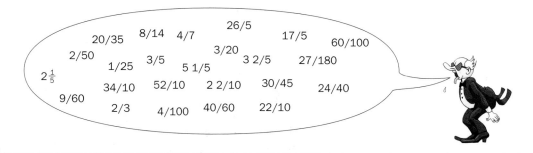

O'r naill ffracsiwn (cyffredin) i'r llall (degol) ...

Mae newid ffracsiwn cyffredin yn ffracsiwn degol yn hawdd iawn. Yr unig beth sydd angen ei wneud ydy rhannu'r rhif sydd yn y rhan uchaf gyda'r rhif sydd yn y rhan isaf (e.e. ¼ = 1 ÷ 4 = 0.25).
Mae mor syml ag 1, 2, 3½, neu 1, 2, 3.5

Arian ac ati

1 Mae nifer o blant ysgol yn ceisio ennill arian yn ystod y gwyliau. Mae'r prisiau, y maent yn eu codi am wneud tasgau, wedi'u rhestru ar y dde. Faint fydd pob un yn ei ennill os gwnânt y tasgau sydd wedi'u rhestru isod? Pwy fydd yn ennill y mwyaf? Pwy fydd yn ennill y lleiaf?

a) Mae Cadi yn mynd â 4 ci am dro.

b) Mae Llew yn golchi 1 car ac yn glanhau 1 set o ffenestri.

c) Mae Jac yn mynd ag 1 ci am dro bob diwrnod am wythnos.

ch) Mae Lisi yn lladd gwair ar 3 lawnt.

d) Mae Ann yn golchi 3 char.

dd) Mae Twm yn glanhau 4 set o ffenestri.

Golchi car £4.50
Glanhau ffenestri £5.30
Golchi llestri £1.50
Mynd â chi am dro £2.60
Lladd gwair £6.25

2 Wedyn mae'r plant yn gwario'u harian. Faint mae pob un yn ei wario?

Melys fêl, melyn fêl ...

a) Cadi: un bar siocled 30c bob diwrnod am dair wythnos

b) Lisi: dau oren 20c bob diwrnod am bythefnos

c) Jac: un pot £3.20 o fêl bob wythnos am bum wythnos

ch) Ann: un lolipop rhew 26c bob diwrnod am dair wythnos

d) Llew: un can cola 21c bob diwrnod am wythnos

dd) Twm: tri byrgyr sy'n costio £2.99 yr un

3 Defnyddiwch y rhifau 4, 6 a 7 i gwblhau'r gwaith cyfrifo.

a) (_ + _) – _ = 9

b) (_ × _) + _ = 46

c) _ × (_ + _) = 70

ch) (_ + _) × _ = 52

d) (_ – _) × _ = 18

dd) _ × _ × _ = 168

e) _ – _ – _ = –3

f) _ × _ ÷ _ = 10.5

4 Llenwch y bylchau yn y trionglau ffactorau hyn. Mae'r rhifau ar bob ochr unrhyw driongl yn lluosi i roi'r rhif sydd yn y canol. Mewn unrhyw driongl, dim ond unwaith y mae unrhyw ffactor yn ymddangos.

a) 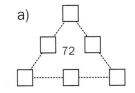 72

b) 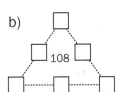 108

c) 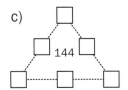 144

Does dim hwyl bob tro!

Gwaith darllen ynteu mathemateg?

Hyd yn oed mewn mathemateg, cawn rai cwestiynau, fel cwestiynau 1 a 2 ar y dudalen hon, lle mae llawer o ddarllen. Dyma un ffordd o ddangos sut mae'n bosibl defnyddio mathemateg yn y byd go iawn. Efallai na fydd hynny'n hwyl bob tro, ond mae'n bwysig.

Dulliau Sgrifenedig

1   Defnyddiwch ddulliau papur a phensel i gyfrifo'r rhain.

    a)   1279 + 334   d)   3712 + 1319 + 2240

    b)   4796 + 209   dd) 7348 – 69

    c)   569 – 491   e)   1234 + 567 + 89

    ch) 243 + 694 + 101   f)   9876 + 543 +21

2   Rhowch gynnig ar y gwaith lluosi hyn.

    a)   234 × 63   ch) 282 × 27   e)   909 × 52

    b)   127 × 36   d)   43 × 311   f)   333 × 33

    c)   491 × 16   dd) 726 × 42

DIM cyfarpar cyfrifo ar y dudalen hon

3   Rhowch gynnig ar y rhain hefyd.

    a)   1.23 × 34   d)   6.46 × 0.22

    b)   7.09 × 34   dd) 14.6 × 5.3

    c)   2.36 × 4.2   e)   8.21 × 8.7

    ch) 4.91 × 2.2   f)   34.7 × 1.8

4   Mae Mr Jôs yn rhoi trefn ar ei siop ar ddiwedd y dydd.

    a)   Cyfrifwch faint o bres a wnaeth Mr Jôs wrth werthu'r rhain:
        (i)   4 awyren
        (ii)   23 sticer
        (iii) 13 pêl droed
        (iv)   11 'styllen sgrialu
        (v)   16 llyfr
        (vi)   63 marblen
        (vii) 4 barcud

    b)   Faint o bres a wnaeth Mr Jôs i gyd?

Papur, pen (sydd rhwng eich clustiau) ond nid peiriant

Ni chewch ddefnyddio unrhyw gyfarpar cyfrifo ar y dudalen hon: cyfrifiannell, abacws, bysedd traed ... Does dim o'i le mewn defnyddio pethau o'r fath, ond mae angen i chi ddysgu dibynnu ar eich gallu eich hun. Defnyddiwch beiriant pan fo'n gall i wneud hynny ac nid pan nad oes angen.

Dulliau Sgrifenedig

1   Mae cwmni lleol yn cynnal lotri bob wythnos. Mae'n bosibl i fwy nag un ennill, ac mae nifer y tocynnau sy'n cael eu gwerthu yn amrywio bob wythnos. Faint o arian y bydd pob un yn ei gael os bydd y wobr yn cael ei rhannu'n gyfartal?

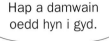

Hap a damwain oedd hyn i gyd.

a)   £56.50 rhwng 10   d)   £169.20 rhwng 3

b)   £101.60 rhwng 4   dd) £1384.00 rhwng 40

c)   £252.64 rhwng 8   e)   £5010.00 rhwng 60

ch) £96.25 rhwng 5   f)   £371.25 rhwng 9

2   Cyfrifwch:

a) $322 \div 14$ c) $651 \div 31$ d) $561 \div 17$ e) $957 \div 33$

b) $357 \div 21$ ch) $1127 \div 23$ dd) $2499 \div 49$ f) $2142 \div 51$

3   Rhowch yr ateb i bob un o'r rhain ar ffurf rhif cyfan a gweddill.

a) $729 \div 13$ d) $383 \div 33$

b) $417 \div 18$ dd) $207 \div 65$

c) $724 \div 23$ e) $574 \div 44$

ch) $975 \div 51$ f) $858 \div 71$

4   Rhowch yr ateb i bob un o'r rhain yn gywir i 1 lle degol.

a) $849 \div 41$ c) $641 \div 26$ d) $491 \div 13$ e) $343 \div 58$

b) $734 \div 32$ ch) $564 \div 18$ dd) $210 \div 23$ f) $999 \div 36$

5   Mae'r cwmni Malws Melys Mair yn mynd â phobl o gwmpas eu ffatri. Cyfrifwch faint o gerbydau y bydd eu hangen bob tro.

a)   Mae 320 o bobl yn teithio mewn bysiau sydd â lle i 48 ar bob un.

b)   Mae 106 o bobl yn teithio mewn bysiau bach sydd â lle i 12 ar bob un.

c)   Mae 1350 o bobl yn teithio mewn awyrennau sydd â lle i 105 ar bob un.

Rwy'n gadael, mewn awyren ...

Efallai fod rhai o'r cwestiynau yma'n anodd heb gymorth peiriant cyfrifo. Os ydych yn ei chael yn anodd, mae un ffordd sicr o wella wrth ateb y math yma o gwestiynau, a hynny ydy trwy ymarfer nes eich bod yn llwyddo.

Dulliau Cyfrifiannell

1   Cyfrifwch y rhain.

Rhowch eich atebion i'r geiniog agosaf.

a) £3.26 × 13

b) £47.43 × 5

c) £28.33 ÷ 7

ch) £17.45 × 3.5

d) £200 ÷ 3

dd) £6.30 ÷ 7

e) £4.23 ÷ 8

f) £1000 ÷ 3

2   Defnyddiwch eich cyfrifiannell i gyfrifo'r rhain.
    Rhowch eich atebion: (i) mewn oriau; (ii) mewn oriau a munudau.

a)   11 awr 30 munud × 3

b)   94 awr ÷ 4

c)   100 awr ÷ 8

ch) 12.5 awr ÷ 2

d)   14 awr 30 munud ÷ 2

dd) 1 awr 12 munud × 7

e)   8 awr ÷ 6

f)   12 awr ÷ 8

Peidiwch ag anghofio bod 60 munud mewn awr.

3   Defnyddiwch y botwm ffracsiwn i symleiddio'r ffracsiynau hyn.

a) $\dfrac{306}{357}$

b) $\dfrac{168}{252}$

c) $\dfrac{112}{560}$

ch) $\dfrac{138}{230}$

d) $\dfrac{405}{324}$

dd) $\dfrac{291}{194}$

e) $\dfrac{234}{104}$

f) $\dfrac{979}{801}$

4   Defnyddiwch y botwm ffracsiwn i gyfrifo'r symiau hyn.

a) $\dfrac{1}{2} + \dfrac{5}{7}$

b) $\dfrac{2}{5} - \dfrac{3}{11}$

c) $\dfrac{6}{7} \times \dfrac{1}{3}$

ch) $\dfrac{6}{7} \div \dfrac{1}{3}$

d) $1\dfrac{1}{3} + \dfrac{5}{6}$

dd) $2\dfrac{7}{8} - \dfrac{1}{32}$

e) $5\dfrac{3}{5} \times 4\dfrac{1}{2}$

f) $24\dfrac{1}{8} \times \dfrac{1}{3}$

5   Enillodd tad £47.50 mewn cystadleuaeth bwyta cimychiaid. Rhannodd y wobr rhwng ei dri mab. Cyfrifwch faint o arian a gafodd pob mab.

a) Rhoddodd $\dfrac{8}{15}$ i Arwel.

b) Rhoddodd $\dfrac{2}{10}$ i Arwyn.

c) Rhoddodd $\dfrac{4}{15}$ i Aron.

Bydd angen pen arnoch – wrth gwrs i ddal eich clustiau yn eu llefydd

Dylai'r cwestiynau hyn fod yn ddigon hawdd os ydych yn beiriannydd da (h.y. yn gwybod sut i drin cyfrifiannell), ac os nad ydych, dylech fod. Ewch ymlaen i ymarfer y cwestiynau nes eich bod yn gwybod yn union beth yr ydych yn ei wneud. Does dim esgus dros beidio.

Dulliau Cyfrifiannell

1   Defnyddiwch beiriant cyfrifo i wneud y rhain.

a) 21^2

b) 42.5^2

c) 0.41^2

ch) $\sqrt{256}$

d) $\sqrt{729}$

dd) $\sqrt{0.0001}$

e) $3^2 + 4^2$

f) $11^2 - 6^2$

O na fyddai gen i beiriant efo botymau + a – arno.

2   Defnyddiwch y botwm +/– i gyfrifo'r rhain.

a) -3×12.5

b) 7.1×-27

c) $-42 \div 3.5$

ch) $-3.1 - 7.3$

d) -2.8×-4.1

dd) $-86 \div -20$

3   Cyfrifwch y rhain yn eich pen gan ddefnyddio'r rheol CORLAT.
Nodwch y botymau y byddech yn eu defnyddio i gael yr ateb gyda'ch peiriant.

a) $3 + 4 \times 5$

b) $3 \times 4 + 5$

c) $3 \times 4 - 2 \times 3$

ch) $16 \div 8 + 14 \div 7$

d) $\dfrac{4 + 6}{3 + 1}$

dd) $\dfrac{23 - 11}{3 \times 2}$

Awgrym: Talgrynnwch bob rhif i 1 ffigwr ystyrlon ac yna amcangyfrifwch yr ateb. Felly dylech sylwi os bydd eich ateb yn anghywir.

4   Mae'r rhain ychydig yn anoddach. Ceisiwch eu gwneud gyda'ch peiriant trwy naill ai ddefnyddio'r cof neu'r botymau cromfachau.

a) $(45 - 17) \times 3.2$

b) $7.2 \times (8.6 + 1.9)$

c) $124 \div (3.4 + 4.6)$

ch) $(23 + 64) \times (2.52 - 1.9)$

d) $(11 + 2.6) \div (0.08 + 0.6)$

dd) $(3.4^2 + 4) \times 7$

e) $(8.8 + 6.2) \div (11.4 - 1.8) \times (3.4 + 7)$

f) $(6^2 - 3.4^2) \times \sqrt{5.76}$

5   Newidiwch y ffracsiynau hyn yn ddegolion gan ddefnyddio'r nodiant dot. Beth ydych yn sylwi arno?

a) $\dfrac{1}{9}$

b) $\dfrac{2}{9}$

c) $\dfrac{3}{9}$

ch) $\dfrac{4}{9}$

Peiriant, pen a bys

Byddwch yn wasgwr botymau heb eich ail. Y cyflymaf yr ydych wrth wneud hynny, y gorau.

Priodweddau Rhifau

1 Dyma waith cartref Cai. Mae'n ddiofal yn ei waith.
Amcangyfrifwch yr atebion i weld pa rai sy'n anghywir.
Wedyn defnyddiwch gyfrifiannell i ddarganfod yr atebion cywir.

a) $3.14 \times 8.2 = 25.748$

b) $67.3 - 31.6 = 3.57$

c) $5.67 - 7.3 \times 3.6 = -5.868$

ch) $6.1 + 5.2 \div 2 = 8.7$

d) $65 \times 2 + 5 \times 3 = 1365$

dd) $\dfrac{3 + 12}{4 + 1} = 3$

e) $\dfrac{18 - 6}{4 \times 2} = 15$

f) $\dfrac{21 \times 3}{3 \times 3} = 7$

2 Dyma waith cartref Alwena. Gwiriwch a chywirwch yr atebion yn yr un ffordd.

a) £3.21 + £3.73 = £6.94

b) £8.24 ÷ 4 = £6.02

c) £12.48 + 20c = £32.48

ch) £108.99 + 2c = £109.19

d) 9 awr ÷ 6 = 1 awr 50 munud

dd) 54 000 cm = 540 m

e) 230 m × 6 = 13.8 km

f) 580 g × 9 = 52 200 g

3 Cyfrifwch y rhifau sydd ar goll yng ngwaith Cati.

a) $? + 5.8 = 21.8$

b) $\dfrac{1}{2} \times ? = 34.5$

c) $4.2 \times ? = 13.02$

ch) $789 - ? = 123$

d) $? - 43 = 579$

dd) $56.2 \div ? = 22.48$

e) $? \div \dfrac{1}{3} = 243$

f) $(2 + ?) \times 3.3 = 16.5$

4 Marciwch waith cartref Ali a chywirwch yr atebion anghywir.

a) $3.9^2 = 15.21$

b) $\sqrt{8.41} = 2.9$

c) $61^2 = 372.1$

ch) $\sqrt{72.25} = 8.5$

d) $\dfrac{1}{80} = 0.125$

dd) $\dfrac{5}{6} + \dfrac{7}{8} = \dfrac{12}{14}$

e) $\dfrac{1}{2} \div \dfrac{1}{8} = 4$

f) $3.1^2 + 4.1^2 = 7.2$

Gan fod $2^2 = 4$ a $3^2 = 9$ mae 2.5^2 rhwng 4 a 9 a chan fod $\sqrt{1} = 1$ ac $\sqrt{4} = 2$ mae $\sqrt{2.5}$ rhwng 1 a 2.

Adran Dau – Cyfrifo

Arian, Canrannau a Mesurau

1   Mae Stuart mewn siop gyfrifiaduron. Faint y bydd yn ei wario os bydd yn prynu'r pethau canlynol?

  a)   2 lond bocs o ddisgiau am £16.60 y bocs a gêm gyfrifiadur am £28

  b)   1 llond bocs o'r disgiau, 2 becyn o bapur am £3.50 y pecyn ac 1 getrisen inc
       am £23.50

  c)   sganiwr am £150, 2 becyn o bapur am £14.50 y pecyn ac albwm lluniau am £3.00

2   Pa un o bob pâr sy'n rhoi'r gwerth gorau?

  a)   4 gêm gyfrifiadur am £12.99 yr un
       neu "Prynwch unrhyw 3 am £18 yr un a chewch un arall am ddim"

  b)   25 disg am £6.00 **neu** 40 am £9.00

  c)   5 disg cryno am £8.50 **neu** 12 disg cryno am £21.00

  ch) 10 aroleuwr am £3.99 **neu** 4 am £1.70

  d)   3 llyfr nodiadau am £3.99 **neu** 5 am £6.91

Mae hyn yn well na hyd yn oed 100 o linellau!

3   Mae Sara yn prynu cyfrifiadur sy'n costio £1250.
     Hefyd mae'n prynu argraffydd am £150 a desg am £100.

  a)   Faint y gwnaeth Sara ei wario i gyd?
  b)   Pa ganran o gyfanswm ei gwariant oedd cost yr argraffydd?
  c)   Pa ganran o gyfanswm ei gwariant oedd cost y cyfrifiadur?
  ch) Yr oedd gan y siop ddau gynnig arbennig.
       Pa un y dylai Sara ei ddewis os am arbed arian?

       | "5% oddi ar gyfanswm eich bil" **neu** "Cyfrifiadur am £1180" |

4   Mae Gwen yn edrych ar lun ffotograff ar sgrîn ei chyfrifiadur. Yn ôl y rhaglen, mae hyd a
     lled y llun yn 25% o hyd a lled y ffotograff. Ar y sgrîn mae'r llun yn mesur 5 cm wrth 8 cm.

  a)   Beth fydd maint y llun os ydy Gwen yn ei argraffu i fod yr un faint â'r ffotograff?
  b)   I arbed inc mae Gwen yn ei argraffu hanner lled y ffotograff a hanner hyd y ffotograff.
       Beth fydd maint y llun wedi'i argraffu?
  c)   Faint fydd arwynebedd y llun wedi'i argraffu?

5   Mae Steffan yn cynllunio silff newydd ar gyfer ei gemau cyfrifiadur. Mae ganddo 35 CD a 50 disg
     DVD. Trwch bocs pob CD ydy 1 cm a thrwch bocs pob DVD ydy 1.6 cm. Faint ydy'r hyd lleiaf sydd
     arno ei angen ar gyfer y silff?

Arian, pres, mags, ... beth bynnag y bo'r enw, mae'n dda i'w gael

Dyma'r math o fathemateg dwi'n ei hoffi – gweld sut i wneud ychydig o arian. Ta waeth, y peth
anoddaf ar y dudalen, mae'n debyg, ydy cyfrifo canrannau, ond dydi'r rheiny **ddim** mor ddrwg gan
mai dim ond 3 math o gwestiwn sydd yna. Dysgwch sut i'w gwneud nhw ac ni fydd gennych fwy o
broblemau efo arian (na, efo canrannau dwi'n ei feddwl).

Problemau Cymarebau a Chyfraneddau

1   Mae Branwen yn penderfynu defnyddio ei phres poced i brynu fferins,
    i fynd allan ac i gynilo yn y gymhareb 2:2:1.

Fferins	:	Mynd allan	:	Cynilo
2	:	2	:	1

   a)   Os ydy Branwen yn cael £15 yr wythnos, faint o bres
        fydd yn mynd ar bob peth?
   b)   Os ydy'r pres poced yn codi i £20 yr wythnos, faint y bydd
        Branwen yn ei gynilo?
   c)   Os ydy Branwen yn cael £20 yr wythnos, faint o amser y
        bydd yn ei gymryd i gynilo i brynu gêm gyfrifiadur sy'n costio £29?

2   Ar daith i Ffrainc yn 2000, newidiodd Mari Wyn £100 yn ffranciau.
    Y gyfradd cyfnewid oedd 9 ffranc am £1.

   a)   Sawl ffranc oedd ganddi i'w wario?

   b)   Ar y ffordd adref, yr oedd ganddi 104 ffranc ar ôl. Y gyfradd cyfnewid oedd £1 am 10 ffranc.
        Sawl punt oedd ganddi i fynd adref?

Mae'r hon a gâr fy nghalon i ...

3   Aeth Sebastian ar daith i'r Eidal yn 2001.
    Sawl lira a gafodd am ei £100 os oedd y gyfradd
    cyfnewid yn 2900 lira am £1?

4   Mae Tony yn gwneud cacennau i'w gwerthu mewn disgo yn yr ysgol.
    Dyma restr o'r cynhwysion sy'n ddigon i wneud 20 cacen:

cnau: 50 g	wyau: 2	coco: 40 g
menyn: 50 g	siwgr: 225 g	blawd: 75 g

   a)   Faint o bob un o'r cynhwysion y bydd ei angen i wneud 120 cacen?

   b)   Mae Tony yn darganfod nad oes ganddo ond un tun 200 g o goco.
        Sawl cacen y bydd Tony yn medru ei gwneud?

5   Mae fy ffrind, Tomos, yn defnyddio'r patrwm hwn er mwyn gosod
    teils glas a theils gwyn ar lawr y gegin. Mae pob teilsen yn
    mesur 25 cm × 25 cm. Mae'r gegin yn mesur 6 m × 4.5 m.

   a)   Beth ydy cymhareb nifer y teils glas i nifer y teils
        gwyn?

*Awgrym:
Rhannwch y llawr yn
rhesi a cholofnau.*

   b)   Faint o deils y bydd eu hangen ar gyfer y llawr cyfan?
   c)   Faint o bob lliw y bydd eu hangen?

Problemau, problemau, problemau ...

Mae cymarebau yn edrych yn ddychrynllyd, ond dydyn nhw ddim. Ystyr 2:3:1 ydy bod gennych
6 "rhan" i gyd, ac rydych yn eu rhannu mewn ffordd arbennig. Cewch afael arnynt cyn bo hir.

Adran Tri – Datrys Problemau

Problemau Rhifau ac Algebra

1   Defnyddiwch y digidau 0 i 9 i wneud: (i) yr ateb mwyaf sy'n bosibl; (ii) yr ateb lleiaf sy'n bosibl. Peidiwch â defnyddio unrhyw ddigid mwy nag unwaith mewn unrhyw sym. Mae'r sym gyntaf wedi'i gwneud i chi.

1	2	3	4	5	6	7	8	9	0

a)   (i) <u>9</u> <u>8</u> <u>7</u> <u>6</u> – <u>0</u> <u>1</u>   d)   _ _ × _ _

b)   _ _ _ _ + _ _   dd)   _ _ _ ÷ _

c)   _ _ _ × _   e)   _ _ ÷ _ _

ch)   _ _ _ _ _ × _   f)   _ _ _ _ _ + _ _ _ _ _

2   Llenwch y bylchau gan ddefnyddio'r arwyddion +, −, ×, ÷.

a)   (430 _ 50) _ 12 = 40   d)   (4 _ 6) _ 5 = 50

b)   (430 _ 50) _ 19 = 20   dd)   4 _ (6 _ 5) = −26

c)   (4 _ 6) _ 5 = 19   e)   430 _ (50 _ 12) = 392

ch)   4 _ (6 _ 5) = 4   f)   430 _ (50 _ 19) = 361

3   Beth fydd yn digwydd pan fydd y rhifau isod yn mynd drwy'r peiriant rhifau sydd ar y dde? Mae'r cyntaf wedi'i wneud i chi.

$n \rightarrow n - 2$

a)   2 → **0**   c)   4

b)   3   ch)   52

4   Beth am y peiriant hwn? Nodwch beth fydd yn digwydd gyda'r rhifau isod.

$n \rightarrow 10n - 1$

a)   1   c)   3

b)   2   ch)   10

5   Rhowch gynnig ar y peiriant hwn. Beth fydd yn digwydd gyda'r rhifau hyn?

$n \rightarrow 10n - n$

a)   6   c)   8   d)   10

b)   7   ch)   9   dd)   11

6   Disgrifiwch beth y mae'r peiriannau hyn yn ei wneud.

a)   Mae peiriant A yn newid 0, 1, 2, 3, 4 yn 0, 2, 4, 6, 8

b)   Mae peiriant B yn newid 10, 11, 12, 13, 14 yn 7, 8, 9, 10, 11

Algebra – da iawn!

Ar y dudalen hon mae dau fath o gwestiwn. Mae cwestiynau 1 a 2 yn disgwyl i chi drin rhifau yn eich pen. Mae'r lleill yn ymwneud ag algebra sylfaenol, ac rydw i'n hoffi hynny oherwydd fy mod yn un sy'n treulio fy holl amser yn meddwl am fathemateg er mwyn sgrifennu llyfrau ar eich cyfer chi.

Problemau Rhifau ac Algebra

1   Cyfrifwch y perimedr sydd gan y barcut hwn pan fo:

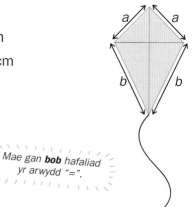

    a) $a = 3$ cm; $b = 5$ cm   ch) $a = 34$ mm; $b = 3$ cm

    b) $a = 3$ m; $b = 10$ m   d) $a = 1.5$ m; $b = 200$ cm

    c) $a = 4.1$ cm; $b = 5.9$ cm

Nodwch hafaliad gyffredinol ar gyfer perimedr P y barcut hwn.

*Mae gan **bob** hafaliad yr arwydd "=".*

2   Nodwch ddau rif olynol sy'n adio i roi:

    a) 11   c) 31   d) 63   e) 2009

    b) 21   ch) 41   dd) 145

A oes unrhyw ddau rif olynol sy'n adio i roi eilrif? Eglurwch eich ateb.

3   Nodwch ddau **odrif** olynol sy'n adio i roi:

    a) 20   c) 500   d) 5500   *e.e. 3 + 5 = 8*

    b) 100   ch) 1000   dd) –4

A ydy dau odrif olynol yn adio i roi eilrif bob tro?

4   Mae gan Dona stondin yn y farchnad.
Mae'r disgiau sain yn costio £14.50 yr un, a'r casetiau sain yn costio £7.60 yr un.

    a)   Cyfrifwch gost 2 ddisg a 3 chasét.

    b)   Nodwch sut i gyfrifo cost 2 ddisg a 3 chasét.

    c)   Nodwch hafaliad ar gyfer cyfrifo cost (£C) prynu x disg ac y casét.

5   Mae Herman yn treulio llawer o'i amser yn casglu matsys er mwyn gwneud siapiau.
Mae rhai o'r siapiau i'w gweld isod. Tynnwch lun y siâp nesaf ym mhob dilyniant a
nodwch faint o fatsys y bydd eu hangen i wneud siâp rhif 6 a siâp rhif 10 bob tro.

    a)   grwpiau o sgwariau:
         nifer y matsys ydy 4, 7, 10, 13

    b)   trionglau:
         nifer y matsys ydy 3, 6, 9, 12

    c)   coed Nadolig:
         nifer y matsys ydy 3, 6, 9

Mwy o algebra – gwych!

Mae rhai pobl nad ydyn nhw'n hoffi algebra, ond dydy algebra ddim mor ddrwg â hynny. Rydych yn sgrifennu "x" neu "y" yn lle pethau nad ydych yn eu gwybod. Er enghraifft, os ydy gafr yn costio x a mochyn yn costio y, yna cost 10 gafr a 14 mochyn ydy $10x + 14y$.

Adran Tri – Datrys Problemau

Problemau Siâp, Gofod, Perimedr ac Arwynebedd

1   Cyfrifwch weddill yr onglau sydd yn y siapiau hyn.

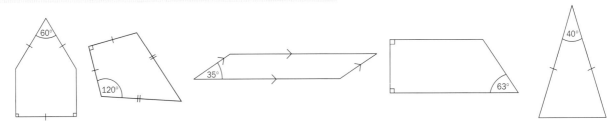

2   Mae Dai a Buddug yn gosod llwybr o gwmpas pwll sydd yn yr ardd.
Siâp sgwâr sydd gan y pwll â'r ochrau yn mesur 3 m.
Faint o gerrig palmant y bydd eu hangen ar gyfer pob un o'r cynlluniau hyn?

Ar ôl gwneud y llwybr, beth am gerflun fel hyn?

a)   cerrig palmant yn sgwariau 50 cm a'r llwybr yn un garreg o led

b)   cerrig palmant yn 75 cm × 75 cm a'r llwybr yn un garreg o led

c)   cerrig palmant yn sgwariau 25 cm a'r llwybr yn 50 cm o led

3   A ydy'n bosibl lluniadu dau driongl isosgeles sydd
â **siapiau gwahanol** pan fo un ongl yn unig yn 50°?
Rhowch resymau dros eich ateb.

Mi ddylwn fod wedi rhoi mwy o sylw i Glwb Garddio

4   Sawl sgwâr sydd i'w weld ym mhob un o'r siapiau hyn?

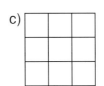

a)   b)   c)

5   Dyma gynllun gardd y mwnci.

a)   Faint ydy arwynebedd yr ardd a'r tŷ gyda'i gilydd?
b)   Faint ydy arwynebedd y gwely blodau?
c)   Faint ydy perimedr y llain llysiau?
ch)   Faint ydy perimedr y lawnt?

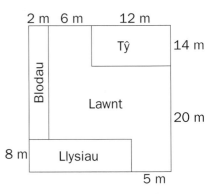

Siâp gofod – pa fath o siâp ydy hwnnw?

Wrth gyfrifo perimedrau, cofiwch adio'r holl ochrau, a phob un dim ond unwaith. Un dull ydy rhoi smotyn ar un o'r corneli a mynd o amgylch y siâp, clocwedd neu wrthglocwedd. Nodwch hyd pob ochr tan y dowch yn ôl at y smotyn.

Problemau Siâp, Gofod, Perimedr ac Arwynebedd

1   Lluniadwch rwyd ar gyfer pob un o'r siapiau hyn. Mae'r gyntaf wedi'i gwneud i chi.

   a)   pyramid trionglog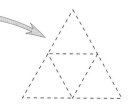

   b)   ciwb

   c)   pyramid sylfaen sgwâr

   ch) silindr

Pwy sydd angen rhwydi?

2   Lluniadwch dair rhwyd **wahanol** ar gyfer bocs siâp ciwb, sydd heb gaead iddo.

3   36 m ydy perimedr sgwâr. Faint ydy arwynebedd y sgwâr?

4   72 cm² ydy arwynebedd petryal ac mae ei hyd ddwywaith ei led.
     Faint ydy perimedr y petryal?

5   Faint ydy arwynebedd y rhan dywyll ym mhob triongl?

   a)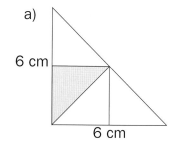

   6 cm

   6 cm

   b)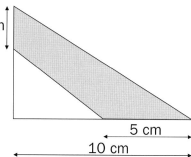

   2 cm

   6 cm

   5 cm

   10 cm

6   Pa ffracsiwn o bob un o'r siapiau hyn sydd wedi'i dywyllu?
     Pa ffracsiwn sydd heb ei dywyllu?

   a)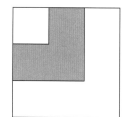

   b)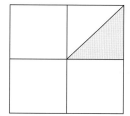

Cwestiynau digon arwynebol sydd yma!

Mae fformiwla arwynebedd triongl yn anodd. Byddwch yn ofalus wrth ei defnyddio: ar ôl lluosi, cofiwch rannu â 2. Os na wnewch, cewch ateb a fydd yn ... anghywir.

Adran Tri – Datrys Problemau

Problemau Tebygolrwydd a Data

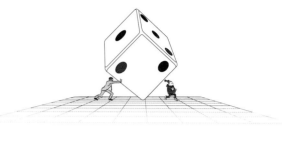

1   Faint ydy tebygolrwydd pob un o'r rhain?

   a)   cael chwech wrth daflu dis

   b)   cael saith wrth daflu dis

   c)   y bydd yr haul yn codi yfory

   ch) tynnu cerdyn coch o becyn o gardiau chwarae

   d)   tynnu cerdyn tri o becyn o gardiau chwarae

   dd) cael eilrif wrth daflu dis

   e)   dewis cerdyn â'r digid 1 arno o set o gardiau wedi'u rhifo 1 i 20

   f)   dewis cerdyn â'r digid 3 arno o set o gardiau wedi'u rhifo 1 i 100

2   Ers i sw lleol gael ei agor mae 100 ymosodiad wedi bod ar y gofalwyr. Mae'r siart bar yn dangos yr anifeiliaid a oedd yn gyfrifol am yr ymosodiadau. Defnyddiwch y siart i ateb y cwestiynau.

   a)   Faint ydy'r tebygolrwydd mai dyfrgi fydd yr anifail nesaf i ymosod ar ofalwr?

   b)   Faint ydy'r tebygolrwydd mai llew fydd yr anifail nesaf i ymosod?

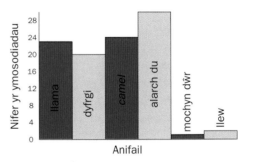

   c)   Faint ydy'r tebygolrwydd y bydd yr anifail nesaf yn alarch du neu'n *gamel*?

   ch) Mae'r sw yn cyflogi gofalwr newydd bob tro y bydd llew yn ymosod. Sawl gofalwr newydd y mae'n debygol y bydd angen ei gyflogi yn dilyn:
        (i)   50 ymosodiad gan unrhyw anifail?
        (ii) 100 ymosodiad gan unrhyw anifail?
        (iii) 1000 ymosodiad gan unrhyw anifail?

   d)   Mae'r papur newydd lleol yn codi £200 ar y sw i hysbysebu am ofalwr newydd. Maent hefyd yn talu £5 i'r sw am yr hanes bob tro y mae ymosodiad. Faint o elw y bydd y sw yn ei wneud o'r papur newydd ar ôl 100 ymosodiad?

3   Mae Ffred yn cymryd rhan mewn cwis. Gofynnwyd cwestiwn iddo a does ganddo ddim syniad beth ydy'r ateb cywir.

   a)   Faint ydy'r tebygolrwydd y bydd Ffred yn dyfalu'n gywir, os oes pum dewis o atebion?
   b)   Faint ydy'r tebygolrwydd y bydd Ffred yn dyfalu'n anghywir?
   Rhowch eich atebion ar ffurf ffracsiynau ac ar ffurf degolion.

Pa siawns sydd gennych o gael y cwbl yn gywir?

Dydy tebygolrwydd ddim yn rhy anodd. Cofiwch fod "a" fel arfer yn golygu "lluosi" a "neu" yn golygu "adio". Os cewch rai'n anghywir, gwnewch nhw eto. Efallai y byddai tynnu **diagramau canghennog** o gymorth i chi.

Defnyddio'r Wybodaeth Gywir

1   Mae gennych 12 teilsen sgwâr, pob un ag arwynebedd 16 cm².
   Pa drefniant sy'n rhoi: (i) y perimedr mwyaf; (ii) y perimedr lleiaf?

2   Cyfrifwch arwynebedd pob un o'r pethau canlynol.

   a)   drws tŷ dol Petra: petryal 3 cm × 43 mm

   b)   y llwybr yng ngardd Petra: petryal 5.1 m × 51 cm

   c)   arwydd ffordd: triongl â'i sail yn 0.4 m a'i uchder yn 550 mm

3   Mae Anna yn 20, Brian yn 10, Clara yn 8 a Dolores yn 2.

   a)   Faint o flynyddoedd y mae Anna yn hŷn na Clara?

   b)   Pan fydd Anna yn 26 oed faint fydd oed y lleill?

   c)   Sawl gwaith ydy Brian yn hŷn na Dolores?

   ch)   Faint fydd oed Brian a Dolores ymhen dwy flynedd?

   d)   Sawl gwaith yn hŷn na Dolores y bydd Brian yr adeg hynny?

4   Mae'r patrymau isod yn arwain at dermau cyntaf dilyniant y rhifau triongl.

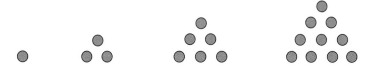

   a)   Sawl dot fydd ar waelod y patrwm nesaf yn y dilyniant?

   b)   Sawl rhes fydd yn y patrwm nesaf?

   c)   Sawl dot fydd ar waelod yr 20fed patrwm?

   ch)   Sawl rhes fydd yn yr 20fed patrwm?

5   Cyfrifwch y canlynol. Bob tro, nodwch ddau ddilyniant
   gwahanol o fotymau cyfrifiannell y gallwch eu defnyddio.

Rydwi am gymryd y byd drosodd gyda'r peiriant hwn!

   a)   hanner 45.3

   b)   25% o £84

   c)   3 gwaith 56, ac yna tynnu 7.3

   ch)   yr elw o brynu 3 thegan am £5.50 yr un a'u gwerthu am £5.99 yr un

   d)   £79.60 wedi'i rannu'n gyfartal rhwng 5 o bobl.

Concro'r Byd ynteu awr ychwanegol yn y gwely?

Os cewch atebion anghywir, gwnewch y gwaith i gyd eto ... ac eto ... ac eto. Mae digon o ymarfer yn bwysig mewn mathemateg. Mae'n debygol mai hyn sy'n gwneud y pwnc yn ddiflas, ond dyna ni ...

Adran Tri – Datrys Problemau

Gwneud Problemau Mawr yn Llai

1   Mae Davina yn tacluso ei stafell ac yn trefnu ei llyfrau ar y silff.
Mae'n bosibl trefnu dau lyfr mewn dwy ffordd wahanol.

  a)   Mewn sawl ffordd y mae'n bosibl iddi drefnu tri llyfr?

  b)   Mewn sawl ffordd y mae'n bosibl iddi drefnu pedwar llyfr?

2   Mae pryf llyfr yn bwyta ei ffordd drwy set o 10 gwyddoniadur sydd ar silff.
Mae'n dechrau ar glawr blaen y llyfr cyntaf ac yn twrio ar hyd y llwybr mwyaf
uniongyrchol nes iddo gyrraedd clawr ôl y llyfr olaf. Os mai 3 cm ydy trwch pob
llyfr, sawl cm y mae'r pryf wedi symud?

3   Os oes gennych un o bob darn arian
gwledydd Prydain, pa symiau gwahanol
o arian y medrwch eu gwneud?

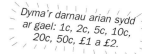
Dyma'r darnau arian sydd
ar gael: 1c, 2c, 5c, 10c,
20c, 50c, £1 a £2.

4   Dyma reol i gynhyrchu dilyniant o rifau:

  "Lluosi'r rhif blaenorol â 3 ac wedyn tynnu 1"

  a)   Gan ddechrau efo 2 nodwch y pum rhif cyntaf.
  b)   Gan ddechrau efo 1 nodwch y pum rhif cyntaf.
  c)   Gan ddechrau efo 0 nodwch y pum rhif cyntaf.
  ch) Gan ddechrau efo –2 nodwch y pum rhif cyntaf.

  Beth ydych yn sylwi arno ynglŷn â'r dilyniannau yr ydych wedi'u nodi?

5   Dyma reol arall i gynhyrchu dilyniant o rifau:

  "Sgwario'r rhif blaenorol"

... wedyn dwi'n dysgu
mathemateg i 9C.
Mae heddiw'n mynd yn
waeth ac yn waeth ...

  a)   Gan ddechrau efo 2 nodwch y pum rhif cyntaf.

  b)   Gan ddechrau efo 1 nodwch y pum rhif cyntaf.

  c)   Gan ddechrau efo –2 nodwch y pum rhif cyntaf.

  ch) Gan ddechrau efo 0.5 nodwch y pedwar rhif cyntaf.

  d)   Gan ddechrau efo 0.1 nodwch y pedwar rhif cyntaf.

Bydd angen
peiriant cyfrifo
ar gyfer y rhain.

Adran Tri – Datrys Problemau

Cyflwyno'r Datrysiad

1   Dyma ran o grid rhifau hyd at 100. Pan fo sgwâr 2 × 2 yn cael ei lunio ar y grid gallwch luosi'r rhifau sydd yn y corneli cyferbyn ar hyd y ddwy groeslin.

1	2	3	4	5	6
11	12	13	14	15	16
21	22	23	24	25	26
31	32	33	34	35	36
41	42	43	44	45	46
51	52	53	54	55	56

ENGHRAIFFT:

23 × 34 = 782 a 24 × 33 = 792

a)   Beth fydd yn digwydd gyda sgwariau eraill 2 × 2 sydd ar y grid hwn?

b)   Beth fydd yn digwydd os defnyddiwch sgwariau 3 × 3?

c)   Beth fydd yn digwydd os defnyddiwch betryalau 2 × 3? A fedrwch ddarogan beth allai ddigwydd cyn rhoi cynnig arni?

2   Gwnewch yr un peth gyda sgwariau o feintiau gwahanol, e.e. 4 × 4 neu 5 × 5. A oes patrymau i'w gweld?

3   Edrychwch ar y "muriau rhifau" hyn.
Penderfynwch ar y patrwm bob tro a nodwch y rhifau sydd ar goll.

a)

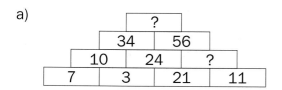

b)

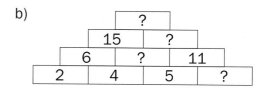

c)

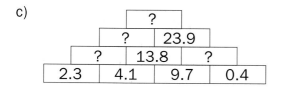

ch)

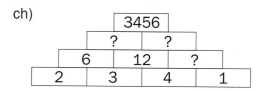

d)

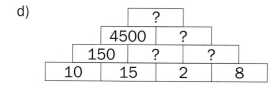

dd)

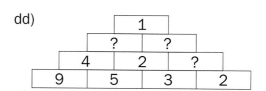

Lle oeddat ti pan ddoth y wal i lawr?

Mae patrymau rhif yn gallu bod yn anodd i'w darganfod. Os nad ydych yn gweld y cysylltiad yn syth, ceisiwch adio rhai o'r rhifau, neu eu tynnu, neu eu lluosi, neu eu rhannu. Ar y llaw arall, gallwch weld a ydy rhai o'r rhifau yn rhai sgwâr, yn eilrifau, yn odrifau, yn rhifau cysefin ...

Datblygu'r Gwaith

1   Rhestrwch ffactorau pob rhif o 1 i 20.

   a)   Rhestrwch y rhifau sydd â 2 ffactor yn unig.
        Beth ydy'r enw ar y rhifau hyn?

   b)   Rhestrwch bob rhif sydd â nifer ei ffactorau yn odrif.
        Beth ydy'r enw ar y rhifau hyn?

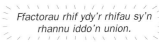
Ffactorau rhif ydy'r rhifau sy'n rhannu iddo'n union.

   c)   Nodwch ffactorau y rhifau sgwâr hyd at 100.
        Beth ydych yn sylwi arno ynglŷn â nifer y ffactorau sydd gan y rhifau sgwâr?

2   Mewn un dref, mae marchnad lle mae'r corlannau wedi'u hadeiladu fel hyn:

   1 gorlan — 4 clwyd   *2 gorlan — 7 clwyd*   *3 corlan — 10 clwyd*

   a)   Faint o glwydi y bydd eu hangen ar gyfer 10 corlan?

   b)   Faint o glwydi y bydd eu hangen ar gyfer 50 corlan?

   c)   Nodwch reol i gyfrifo nifer y clwydi y bydd eu hangen
        ar gyfer unrhyw nifer o gorlannau.

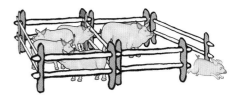

3   Yn y farchnad yn y dref nesaf, mae'r corlannau wedi'u hadeiladu fel hyn:

   2 gorlan — 7 clwyd   *4 corlan (2 × 2) — 12 clwyd*   *6 chorlan (2 × 3) — 17 clwyd*

   a)   Faint o glwydi y bydd eu hangen ar gyfer 10 corlan?

   b)   Faint o glwydi y bydd eu hangen ar gyfer 50 corlan?

   c)   Nodwch reol i gyfrifo nifer y clwydi y bydd eu hangen
        ar gyfer unrhyw nifer o gorlannau.

Croeso i Fochdre.

Cofiwch fod y corlannau wedi'u hadeiladu fesul pâr.

4   Mewn marchnad arall eto, mae'r corlannau wedi'u hadeiladu wrth y wal allanol.

   a)   Sawl corlan y mae'n bosibl ei gosod os mai 2 m ydy hyd
        pob clwyd? Sawl clwyd y bydd ei hangen?

   b)   Beth fyddai'n digwydd mewn marchnad fwy sy'n mesur
        50 m wrth 30 m a lle mae maint y fynedfa yn aros yn 4 m?

   c)   Ymchwiliwch i farchnadoedd eraill lle mae'r fynedfa yn
        4 m o hyd.

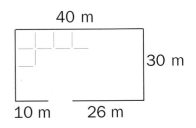

40 m

30 m

10 m   26 m

Gwaith ymchwiliol – rydw i'n dal i chwilio ...

Byddwch yn ateb cwestiynau fel y rhain yn aml. Mae gwneud y rhan gyntaf yn gymorth i wneud yr ail ac yn y blaen, ond yn y diwedd deall beth sy'n digwydd sy'n bwysig. Byddwch angen digon o **ymarfer** a digon o **feddwl**. Dyna chi – ewch ati.

Defnyddio Symbolau Algebraidd

1 Copïwch a chwblhewch:

Enghraifft ar eich cyfer chi ydy'r cyntaf.

a) $2 + a = 6 \Rightarrow a = 4$

b) $b + 8 = 12 \Rightarrow b = ?$

c) $7 - c = 2 \Rightarrow c = ?$

ch) $d \times 4 = 20 \Rightarrow d = ?$

d) $5e = 30 \Rightarrow e = ?$

dd) $f \div 2 = 13 \Rightarrow f = ?$

e) $g \div 7 = 2 \Rightarrow g = ?$

f) $12 \div h = 6 \Rightarrow h = ?$

2 Symleiddiwch y mynegiadau hyn.

e.e. $z + z + z + 3z = 6z$

a) $j + j + j$

b) $2k + 3k$

c) $m + n + m + p + m$

ch) 5 gwaith q

d) $r \times 6$

dd) $5s - 2s$

e) $(t + u) + (t + u)$

f) $5v + 6w - 2v + w$

3 A ydy'r datganiadau mathemategol hyn yn wir ynteu'n anwir?

a) $y \times 3 = 3y$

b) $\dfrac{p}{2x} = \dfrac{p}{x} \times 2$

c) $2x^2 = (2x)^2$

ch) $2(n + 3) = 2n + 3$

d) $m^4 = m \times 4$

dd) 5 gwaith $2n$ = 2 waith $5n$

4 Mynegwch y datganiadau hyn ar ffurf hafaliadau mathemategol. Wedyn datryswch nhw.

a) Mae 3 gwaith x yn hafal i 24.

b) w wedi'i rannu â 7 = 3

Awgrym: Defnyddiwch lythyren ar gyfer unrhyw beth anhysbys a lluniwch hafaliad.

c) Mae 5 gwaith z plws 7 yn hafal i 52.

ch) Mae rhif wedi'i luosi ag ef ei hun yn rhoi 36.

d) 'Rydych yn meddwl am rif, yn adio 3 ac wedyn yn lluosi â 4 i gael yr ateb 28.

dd) 'Rydych yn meddwl am rif, yn rhannu â 3, wedyn yn adio 3, ac yna'n lluosi â 3 i gael yr ateb 15.

e) pres poced – pres wedi'i wario = pres wedi'i gynilo

f) pris gwerthu minws pris prynu = elw

Mynegiadau – dyma gyfle imi gael mynegi fy hun ...

Dydy defnyddio x ac y neu a, b ac c yn ddim byd arbennig: dylech adio neu luosi'r llythrennau fel yr ydych yn gwneud gyda rhifau. Os casglwch y termau tebyg at ei gilydd, bydd gennych rywbeth fydd yn haws i'w drin. Beth arall fyddai unrhyw un ei angen?

Mae Algebra yn dilyn Confensiynau

1   Enrhifwch $\dfrac{(3b - 2a)}{4}$ pan fo:

a) $a = 1$, $b = 2$ d) $a = 9$, $b = 2$

b) $a = 1$, $b = 4$ dd) $a = 25$, $b = 10$

c) $a = 10$, $b = 25$ e) $a = -2$, $b = 4$

ch) $a = 0.2$, $b = 0.6$ f) $a = -9$, $b = 2$

Dydi fy mywyd ddim yn dilyn confensiwn...

2   Enrhifwch $\dfrac{(x^2 + y)}{z}$ pan fo:

3 ydy'r ateb i hwn.

a) $x = 2$, $y = 2$, $z = 2$ d) $x = 9$, $y = -6$, $z = 5$

b) $x = 1$, $y = 4$, $z = 10$ dd) $x = 4$, $y = 2$, $z = -3$

c) $x = 3$, $y = 6$, $z = 3$ e) $x = -2$, $y = 1$, $z = 0.5$

ch) $x = 10$, $y = 21$, $z = 11$ f) $x = -3$, $y = -1$, $z = -2$

3   Pa rai o'r mynegiadau hyn sydd â'r un gwerthoedd?

$ab + c$ $12 - (3 + 4)$ $12 - (3 - 4)$ $a(b - c)$ $a - b - c$

$a - (b - c)$ $a - b + c$ $c + ba$ $a - (b + c)$ $12 - 3 - 4$

$(12 \times 3) + (12 \times 4)$ $ab - ac$ $12 \times (3 + 4)$ $12 - 3 + 4$

4   Nodwch y gwrthdro ar gyfer pob hafaliad isod a darganfyddwch werth y llythyren bob tro:

ENGHRAIFFT: $4x - 3 = 5$
Golyga hyn "lluosi efo pedwar" ac wedyn "tynnu tri". $\boxed{4x - 3 = 5}$

Y **gwrthdro** ydy "adio tri" ac wedyn "rhannu efo pedwar". $\boxed{x = (5 + 3) \div 4}$ Felly mae $\underline{x = 2}$

a) $4m - 8 = 28$ c) $4r + 2 = 2$

b) $n/4 + 3 = 6$ ch) $3s - 9 = -3$

Mae'n bosibl dweud bod "gwrthdro" yn golygu "rhywbeth sy'n groes".

Symleiddio

1   Symleiddiwch y mynegiadau trwy gasglu termau tebyg at ei gilydd.

a) $a + a + a + a$

b) $b + b + b + c + c$

c) $d + e + 2f + f + 3d$

ch) $4 + 3g - 2 - g$

d) $6h + 4 - 2h - 3 - 4h$

dd) $4j + 2j^2 - j + 3j^2$

e) $9 + 2n - 7 - 4n - 2$

f) $24p - 13q - 8p - 4r$

Golyga hyn roi'r pethau sydd â'r un llythyren gyda'i gilydd.

2   Diddymwch y cromfachau a symleiddiwch, os yn bosibl:

a) $3(z - 4)$

b) $4(y + 2) - 3(1 - y)$

c) $5(2w - 5) - 2(w + 10)$

ch) $6(2v + u) + 2(v + 2u)$

d) $7(t - 2s) - 4(t + 3s)$

dd) $3(r + 2s - 3t)$

e) $2(3q - 2p + n) + 4(q + p + n)$

f) $8(m - 2k + 2) + 2(3k - 4)$

3   Sgrifennwch y mynegiadau ar gyfer perimedrau'r siapiau hyn mor syml â phosibl.

a)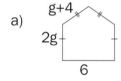

b)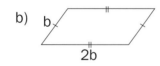

c)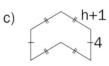

ch)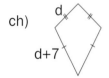

d)

dd)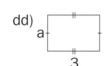

e)

4   24 m ydy perimedr pob un o'r gerddi isod. Cyfrifwch fesuriadau pob gardd.

a)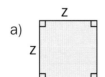

b)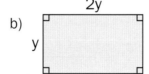

c)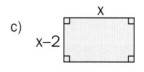

ch)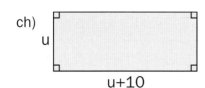

d)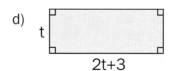

dd)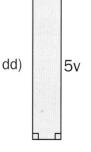

Symleiddio – ydi, mae algebra'n symlach na rhifyddeg!

Iawn, efallai mai gor-ddweud oedd hynna.

Ond, bydd casglu termau tebyg at ei gilydd yn gwneud eich bywyd yn haws.

Defnyddio Hafaliadau Llinol

1   Datryswch yr hafaliadau hyn.

a) $j + 7 = 12$ d) $24 = 2p + 14$

b) $2 = 7 - k$ dd) $9 = \frac{1}{2}q$

c) $2m + 1 = 23$ e) $12 - \frac{1}{2}r = 10$

ch) $4n - 3 = 17$ f) $4.7 + s = 6.1$

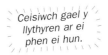

Ceisiwch gael y llythyren ar ei phen ei hun.

2   Diddymwch y cromfachau a datryswch yr hafaliadau hyn.

a) $2(x + 1) = 6$ d) $6(x + 1) = 9$

b) $3(3 + x) = 21$ dd) $4 = \frac{1}{2}(3x - 4)$

c) $4(2x - 1) = 12$ e) $4x + 3(2x + 4) = 132$

ch) $5(2x - 4) = 40$ f) $2(7 - x) + 5x = 23$

3   'Rydw i'n meddwl am rif, yn lluosi'r rhif â 7, ac yna yn adio 23. Yr ateb ydy 44. Nodwch hafaliad a'i ddefnyddio i ddarganfod fy rhif gwreiddiol.

4   Mae Aneurin yn llenwi cwpanau â medd o gasgen lawn. Mae'n llenwi 16 cwpan 300 ml ac mae ganddo 200 ml o'r medd ar ôl.

a)   Faint o fedd oedd yn y gasgen ar y dechrau?

Wedyn mae Aneurin yn llenwi'r gasgen â medd, ac yn ei defnyddio i lenwi cwpanau 400 ml.

b)   Sawl cwpan y bydd Aneurin yn ei llenwi?

c)   Faint fydd ar ôl ar waelod y gasgen?

5   Mae Lisa yn gweithio mewn tŷ bwyta, sef Bar Byrgyr Bowen.

a)   Mae Lisa wedi gosod 17 byrgyr mewn pentwr 1.02 m o uchder. Nodwch hafaliad a'i ddefnyddio i ddarganfod trwch un byrgyr.

b)   Yn y bar byrgyr mae tri math o fwrdd, gyda lle i 2, 4 neu 6 o bobl eistedd wrtho. Mae Lisa yn dweud bod 5 bwrdd llawn o 6, 4 bwrdd llawn o 4, a 3 o bobl yn ciwio. Faint o gwsmeriaid sydd yn y bar byrgyr?

c)   Ymhellach ymlaen mae 1 bwrdd o 2 o bobl, 9 bwrdd o 4, 7 o bobl yn ciwio a chyfanswm o 63 o gwsmeriaid. Nodwch hafaliad a'i ddefnyddio i ddarganfod sawl bwrdd o 6 sydd yna.

Mae Bar Byrgyr Bowen yn mynnu bod digon o bobl mewn grŵp i lenwi bwrdd cyn i'r grŵp gael eistedd.

H-afal-iadau – da iawn, mae'n bryd imi gael bwyd

Mae hafaliadau llinol yn wych ar gyfer troi cwestiynau cymhleth yn rhai symlach er mwyn eu hateb mewn ychydig eiliadau. Hefyd, maen nhw'n defnyddio llai o le, sy'n beth da.

Defnyddio Hafaliadau Llinol

1   Rhowch y gwerthoedd 1 i 5 yn lle *n* ym mhob un o'r mynegiadau
    hyn i gynhyrchu 8 dilyniant o rifau. Disgrifiwch bob dilyniant.

a)   *n* + 1   d)   *n*/2 + 1

b)   2*n*   dd) 3*n* – 3

c)   2*n* + 1   e)   5*n*

ch) 3*n*   f)   10 – *n*

2   Y fformiwla ar gyfer arwynebedd triongl ydy "½ sail × uchder". Atebwch y cwestiynau
    hyn, lle mae *u* yn sefyll dros uchder, *s* dros sail, ac *A* dros arwynebedd.

a)   Os ydy *u* = 4 cm ac *s* = 5 cm, faint ydy *A*?

b)   Os ydy *u* = 10 cm ac *s* = 6 cm, faint ydy *A*?

c)   Os ydy *s* = 8 m ac *A* = 12 m^2, faint ydy *u*?

ch) Os ydy *A* = 76 km^2 ac *u* = 19 km, faint ydy *s*?

3   Y tâl misol ar gyfer ffôn symudol Alun ydy £15.
    Hefyd, mae'n rhaid iddo dalu 8c am bob un neges destun.

Awgrym: Galwch nifer y negeseuon testun yn n.

a)   Newidiwch y tâl misol yn geiniogau.

b)   Nodwch fformiwla i gyfrifo faint mewn punnoedd y bydd yn rhaid i Alun
     ei dalu bob mis.

c)   Defnyddiwch eich fformiwla i gyfrifo'r bil os bydd Alun yn anfon 20 neges y mis.

ch) Defnyddiwch eich fformiwla i gyfrifo'r bil os bydd Alun yn anfon 120 neges y mis.

d)   Defnyddiwch eich fformiwla i gyfrifo'r bil os bydd Alun yn anfon 15 neges yr wythnos.

     (Cymerwch fod 4 wythnos mewn mis.)

Wir i chi, mae ffôn lôn yn hollol saff …

4   Ar gyfer ffôn symudol Paul, cyfaill Alun, does dim tâl misol ond mae'n costio
    50c am bob galwad ffôn yn ystod y dydd a 25c am bob galwad ffôn gyda'r nos.

a)   Nodwch fformiwla i gyfrifo bil ffôn Paul mewn punnoedd.
b)   Defnyddiwch eich fformiwla i gyfrifo'r bil os bydd Paul yn gwneud 10 galwad yn
     ystod y dydd a 30 gyda'r nos.
c)   Defnyddiwch eich fformiwla i gyfrifo'r bil os bydd Paul yn gwneud 5 galwad yn
     ystod y dydd a 100 gyda'r nos.
ch) Os gwnaeth Paul 4 galwad yn ystod y dydd ac yr oedd y bil yn £25,
     sawl galwad a wnaeth Paul gyda'r nos?
d)   Os gwnaeth Paul 120 galwad gyda'r nos ac yr oedd y bil yn £34,
     sawl galwad a wnaeth Paul yn ystod y dydd?

Hafaliadau llinol – ond ble mae'r llinellau?

Efallai y teimlwch fod hafaliadau llinol yn ddiflas ac yn boen, ond os yw'n bosibl cyfrifo biliau ffôn
efo nhw, mae rhyw fath o ddefnydd iddynt. Felly, ceisiwch beidio â syrthio i gysgu wrth eu datrys.

Dilyniannau Sylfaenol

1   Ar gyfer pob un o'r dilyniannau hyn, nodwch reol
    i ddarganfod y rhif nesaf a nodwch y ddau rif nesaf.

   a)   1, 3, 5, 7, ...

   b)   297, 299, 301, ...

   c)   23, 20, 17, 14, ...

   ch) 4, 8, 12, 16, ...

   d)   12, 19, 26, 33, ...

   dd) 8, 6, 4, 2, ...

   e)   6, 12, 24, 48, ...

   f)   128, 64, 32, ...

2   Llenwch y bylchau yn y dilyniannau hyn.

   a)   13, 16, ..., 22, 25, ...

   b)   34, ..., 42, 46, 50, ...

   c)   2, ..., 8, 16, ..., 64

   ch) 16, 8, ..., 2, 1, ...

   d)   10, 5, ..., –5, ..., –15

   dd) 10, ..., 32, 43, ..., 65

   e)   63, ..., 45, 36, ..., 18, ..., ...

   f)   3, ..., 27, ..., 243

3   Isod, mae nifer o beiriannau rhif.
    Ar gyfer pob peiriant, nodwch yr allbwn pan fo'r mewnbwn yn 1, 2, 3, 4, 5.

ENGHRAIFFT: $4x + 5$	$1 \rightarrow (4 \times 1) + 5 = 9$
	$2 \rightarrow (4 \times 2) + 5 = 13$
	$3 \rightarrow (4 \times 3) + 5 = 17$
	$4 \rightarrow (4 \times 4) + 5 = 21$
	$5 \rightarrow (4 \times 5) + 5 = 25$

   a) $2x + 1$

   b) $3x - 2$

   c) $5x - 3$

   ch) $x + 11$

   d) $10x - 7$

   dd) $3 - x$

   e) $\frac{1}{2}x$

   f) $\frac{1}{2}x + 3$

4   Nodwch y ddau rif nesaf ym mhob dilyniant.

   a)   1, 1, 2, 3, 5, 8, 13, ...

   b)   1, 3, 4, 7, 11, 18, ...

   c)   1, 5, 6, 11, 17, 28, ...

Dilyniannau – dilynwch y drefn

Hwyrach fod dilyniannau syml yn debyg i gyfrif fesul cam, ond pan fydd pethau'n mynd yn gymhleth ofnadwy yna bydd angen algebra arnoch i achub y dydd. Fel y dywedais, mae algebra'n wych, wir ichi.

Defnyddio Rheolau Dilyniannau

1 Mae'r rheolau isod yn caniatáu ichi gyfrifo pob term mewn dilyniant o'r term blaenorol. Nodwch 6 therm cyntaf pob dilyniant.

a) term 1af = 2; rheol: adio 3
⇒ **2, 5, 8, 11, 14, 17**

b) term 1af = 7; rheol: tynnu 1

c) term 1af = 4; rheol: adio 7

ch) term 1af = 100; rheol: tynnu 15

d) term 1af = 4; rheol: lluosi â 3

dd) term 1af = 800; rheol: rhannu â 2

e) term 1af = 3; rheol: lluosi â 10

f) term 1af = 6; rheol: tynnu 3

2 Defnyddiwch y rheolau hyn ar gyfer yr *n*fed term i nodi 6 therm cyntaf y dilyniannau hyn.

a) *n*fed term = 2*n*
⇒ **2, 4, 6, 8, 10, 12**

b) *n*fed term = 2*n* + 3

c) *n*fed term = 2*n* + 4

ch) *n*fed term = 2*n* − 1

d) *n*fed term = 3*n*

dd) *n*fed term = 3*n* + 3

e) *n*fed term = 3*n* + 4

f) *n*fed term = 3*n* − 1

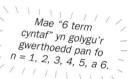

Mae "6 term cyntaf" yn golygu'r gwerthoedd pan fo *n* = 1, 2, 3, 4, 5, a 6.

Mae'r mochyn wedi dilyn y rheol ynglŷn â gwisg

3 Nodwch dermau 1, 5, 10 a 50 y dilyniannau sy'n cael eu cynhyrchu gan y termau *n* hyn.

a) *n* + 2

b) 3*n*

c) 2*n* + 1

ch) *n* − 2

d) 10*n*

dd) 4*n* − 3

e) 100 − *n*

f) 100 − 2*n*

4 Cyfrifwch bum term cyntaf y dilyniannau hyn. Nodwch bob pâr o reolau sy'n cynhyrchu yr un dilyniant.

a) *n*fed term = 4*n*

b) term 1af = 2; rheol: adio 3 bob tro

c) *n*fed term = 12 − 2*n*

ch) term 1af = 20; rheol: adio 2 bob tro

d) term 1af = 10; rheol: tynnu 2 bob tro

dd) *n*fed term = 2*n* + 18

e) term 1af = 4; rheol: adio 4 bob tro

f) *n*fed term = 3*n* − 1

Cadwch at y rheolau

Mae'n bosibl i gwestiynau ar ddilyniannau fynd yn gymhleth. Ac mae'n bosibl i bethau fynd yn ddryslyd yn eich pen. Felly, gwnewch yn siŵr eich bod yn sgrifennu'r cwbl ar bapur, bob cam o'r gwaith. Wedyn, ni fydd angen i chi feddwl mor galed.

Yr nfed term

1   Ar gyfer pob dilyniant sy'n dilyn, gwnewch y canlynol.

(i)   Copïwch a chwblhewch y tabl.

(ii)   Nodwch nifer y llinellau (neu smotiau, neu ...)
       a fydd yn y 10fed patrwm.

(iii) Nodwch nifer y llinellau a fydd yn y 100fed patrwm.

(iv)   Nodwch reol mewn geiriau i gyfrifo nifer y llinellau
       mewn unrhyw batrwm.

(v)   Sgrifennwch y rheol mewn algebra (_n_fed term = ...).

> **Y RHEOL AR GYFER YR _N_FED TERM**
>
> Dyma reol a fydd yn gweithio ar gyfer cyfrifo'r wyth**fed**, naw**fed**, ... can**fed**, ... neu'r _n_**fed** term yn y dilyniant.

a)

1	2	3	4	5	6

b)

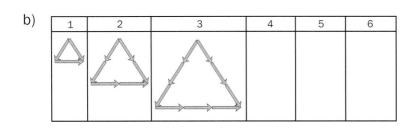 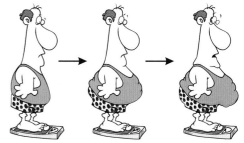

1	2	3	4	5	6

c)

1	2	3	4	5	6

ch)

1	2	3	4	5	6

2   Ar ddarn o gaws, mae pob bacteriwm yn rhannu'n ddau bob diwrnod.

a)   Os oes un bacteriwm ar y dechrau, faint fydd yna:
      (i)   ar ôl 1 diwrnod?   (iii) ar ôl 3 diwrnod?
      (ii)   ar ôl 2 ddiwrnod?   (iv)   ar ôl 10 diwrnod?

b)   Nodwch reol a fydd yn caniatáu ichi gyfrifo sawl bacteriwm
      fydd yna ar unrhyw adeg.
      Sgrifennwch y rheol: (i) mewn geiriau; (ii) mewn symbolau.

Ffwythiannau

1 Copïwch a chwblhewch y tablau hyn sy'n dangos y cysylltiad rhwng mewnbwn ac allbwn ar gyfer nifer o ffwythiannau.

a)

x	2x
1	2
2	4
3	
4	
5	
6	

b)

x	x+1
10	11
11	12
12	
13	
14	
15	

c)

x	2x–3
3	
4	
5	
6	
7	
8	

ch)

x	10x
8	
	90
	100
	110
12	
13	

d)

x	12–x
0	
1	
2	
3	
4	
5	

dd)

x	0.5x+1
0	
1	
2	
3	
4	
5	

2 Nodwch y ffwythiant sy'n gyfrifol am bob un o'r newidiadau hyn.

a)

$1 \rightarrow 2$
$2 \rightarrow 3$
$3 \rightarrow 4$
$4 \rightarrow 5$
$5 \rightarrow 6$

b)

$0 \rightarrow 0$
$1 \rightarrow 3$
$2 \rightarrow 6$
$3 \rightarrow 9$
$4 \rightarrow 12$

c)

$10 \rightarrow 20$
$11 \rightarrow 22$
$12 \rightarrow 24$
$13 \rightarrow 26$
$14 \rightarrow 28$

ch)

$10 \rightarrow 21$
$11 \rightarrow 23$
$12 \rightarrow 25$
$13 \rightarrow 27$
$14 \rightarrow 29$

AWGRYM

Edrychwch ar y bylchau sydd rhwng y rhifau:

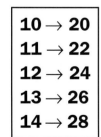

$3 \rightarrow 2$
$4 \rightarrow 4$ +2
$5 \rightarrow 6$ +2
$6 \rightarrow 8$ +2
$7 \rightarrow 10$ +2

Maint pob bwlch ydy 2 yr holl ffordd i lawr.

Gan fod y bylchau yr un faint, mae'n debyg bod x yn cael ei luosi â'r un rhif bob tro, sef maint y bwlch.
Felly rhowch gynnig ar x × y (maint y bwlch). Wedyn cewch adio neu dynnu i gael yr ateb cywir.

Yma, cawn $(x \times 2) - 4$.
Byddech yn sgrifennu hwn fel $2x - 4$.

3 Nodwch y ffwythiannau gwrthdro ar gyfer cwestiwn 2.

*Mae'r ffwythiant gwrthdro yn dilyn y rheol **y tu ôl ymlaen**.*

Efallai mai ffrwythiant y dylid ei gael efo hafaliad

Yr awgrym i edrych ar y bylchau ydy'r cwbl sydd ei angen arnoch i drin dilyniannau. Gallwch gael rhywbeth gwir anodd, fel x^2 neu hyd yn oed x^3. Medrwch sylwi ar y rhain yn ddigon hawdd, oherwydd bydd y bwlch yn mynd yn fwy ac yn fwy wrth i chi fynd drwy'r dilyniant.

Plotio Graffiau

1 Cwblhewch y tabl hwn ar gyfer y ffwythiant $y = x$.
Defnyddiwch y gwerthoedd i blotio graff y linell $y = x$.

x	–3	–2	–1	0	1	2	3
y				0			3

Plotiwch y graffiau ar gyfer cwestiynau 1 i 3 ar un set o echelinau gyda gwerthoedd x rhwng –3 a 3 ac y rhwng –6 a 5.

2 Cwblhewch y tabl hwn ar gyfer y ffwythiant $y = x + 2$.
Defnyddiwch y gwerthoedd i blotio'r linell $y = x + 2$ ar yr un echelinau.

x	–3	–2	–1	0	1	2	3
y	–1			2			

3 Cwblhewch y tabl hwn ar gyfer y ffwythiant $y = x - 3$.
Defnyddiwch y gwerthoedd i blotio'r linell $y = x - 3$ ar yr un echelinau.

x	–3	–2	–1	0	1	2	3
y			–4				0

4 Beth ydych yn sylwi arno ynglŷn â'r tri graff?

5 Cwblhewch y tabl hwn ar gyfer y ffwythiant $y = 2x$.
Defnyddiwch y gwerthoedd i blotio graff y linell $y = 2x$.

x	–3	–2	–1	0	1	2	3
y		–4			2		6

Atebwch gwestiynau 5 i 7 ar set arall o echelinau gyda gwerthoedd x rhwng –3 a 3 ac y rhwng –9 a 9.

6 Cwblhewch y tabl hwn ar gyfer y ffwythiant $y = 3x$.
Defnyddiwch y gwerthoedd i blotio'r linell $y = 3x$ ar yr un echelinau.

x	–3	–2	–1	0	1	2	3
y			–3			6	

7 Beth ydych yn sylwi arno ynglŷn â'r ddau graff hyn?

Dyma'r llinellau!

Does dim byd yn anodd mewn plotio'r graffiau hyn. Er hynny, mae'n hawdd gwneud camgymeriadau gwirion, felly gwiriwch bob pwynt wrth i chi ei blotio a byddwch yn iawn.

Adran Pedwar – Algebra

Ffwythiannau a Graffiau

1   Mae galwadau ffôn Moira yn costio 23c y munud.

   a)   Cyfrifwch faint y bydd Moira yn ei dalu am 100 munud o alwadau.

   b)   Tynnwch echelinau gyda'r amser hyd at 100 munud ar echelin *x* a'r gost hyd at £25 ar echelin *y*.

   c)   Plotiwch y graff o'r gost yn erbyn yr amser a dreuliwyd ar y ffôn.

   ch) Defnyddiwch eich graff i weld faint y bydd Moira yn ei dalu am 20 munud o alwadau.

   d)   Defnyddiwch eich graff i weld faint y bydd Moira yn ei dalu am 90 munud o alwadau.

   dd) Defnyddiwch eich graff i weld faint o funudau o alwadau y bydd Moira yn eu cael am £5.75

   e)   Mae Moira yn gosod uchafswm o £15 y mis ar gyfer gwario ar y ffôn.
        Defnyddiwch eich graff i weld faint o amser y bydd Moira yn gallu ei dreulio ar y ffôn.

Dwi wedi diflasu ...

Dwi'n ddiflas hefyd ...

2   Mae prisiau ffôn Glenys yn wahanol.
    Mae'r galwadau yn costio 5c y munud, ac mae tâl misol o £10.

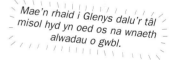

Mae'n rhaid i Glenys dalu'r tâl misol hyd yn oed os na wnaeth alwadau o gwbl.

   a)   Copïwch a chwblhewch y tabl hwn o gostau Glenys:

nifer y munudau	0	10	20	30	50	100
cost (£)	10					

   b)   Tynnwch echelinau gyda'r amser hyd at 100 munud ar echelin *x* a'r gost ar echelin *y*.

   c)   Plotiwch y graff o'r gost yn erbyn yr amser a dreuliwyd ar y ffôn.

   ch) Defnyddiwch eich graff i weld faint y bydd Glenys yn ei dalu am 40 munud o alwadau.

   d)   Defnyddiwch eich graff i weld faint o funudau o alwadau y bydd Glenys yn ei gael am £14.00

   dd) Copïwch eich graff yng nghwestiwn 1 ar yr echelinau sydd ar gyfer y cwestiwn hwn.

   e)   Beth fedrwch ei ddweud wrth gymharu'r ddwy linell?

   f)   Pa ffôn ydy'r rhataf os oes arnoch eisiau gwneud 20 munud o alwadau y mis?

   ff) Pa ffôn ydy'r rhataf os oes arnoch eisiau gwneud 90 munud o alwadau y mis?

Adran Pedwar – Algebra

Ffwythiannau Llinol a Graffiau

1   Defnyddiwch y cyfraddau cyfnewid sydd yn
    y tabl ar y dde i ateb y cwestiynau isod.

CYFRADDAU CYFNEWID

Arian	Cyfradd cyfnewid y £
Doler (Awstralia)	2.4
Krone (Denmarc)	10.5
Ewro	1.4
Doler (UDA)	1.7

   a)   Sawl krone y byddech yn ei gael am
        £10, £20 a £50?

   b)   Defnyddiwch y gwerthoedd hyn i blotio graff llinell
        gyda phunnoedd (£) ar echelin *x* ac arian Denmarc (kr) ar echelin *y*.

   c)   Defnyddiwch y graff i ddarganfod sawl krone a gewch am £35.

   ch) Petai angen 250 krone arnoch, sawl punt y byddai'n rhaid i chi ei dalu?

2   Ail-wnewch gwestiwn 1 gan ddefnyddio'r ewro yn lle'r krone.

3   Mae'r tabl yn dangos y tymheredd am hanner dydd yn Abercynon ar gyfer 10 diwrnod
    ym mis Mawrth.

Dyddiad ym Mawrth	4	5	6	7	8	9	10	11	12	13
Tymheredd (°C)	8	10	11	4	2	1	7	15	14	9

   a)   Plotiwch yr wybodaeth ar graff gyda'r dyddiad ar echelin *x* a'r tymheredd ar echelin *y*.
        Defnyddiwch linellau syth i gysylltu'r pwyntiau.

   b)   Pam na fedrwch ddefnyddio'r graff i ddarganfod faint oedd y tymheredd am hanner nos,
        Mawrth 5?

4   Nodwch pa graff sy'n cyfateb i bob un o'r penawdau (a) i (dd).

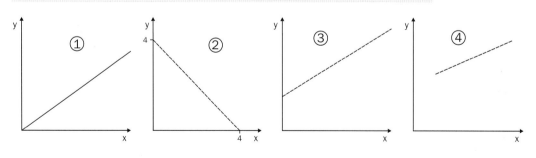
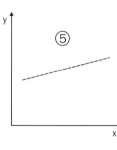
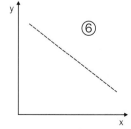

   a)   cost gwresogi yn erbyn y tymheredd cyfartalog y tu allan

   b)   cost ffôn symudol ar gytundeb misol yn erbyn nifer y galwadau

   c)   yr arian sydd ar ôl yn y banc yn erbyn yr arian sydd wedi cael ei
        dynnu allan

   ch) tymheredd yn erbyn oriau o heulwen

   d)   pwysau delfrydol bechgyn 12 oed yn erbyn eu taldra

   dd) arian a wariwyd yn erbyn nifer y bariau siocled "Llwybr Llaethog"
        a brynwyd.

Geometreg Sylfaenol

1   Defnyddiwch y diagram er mwyn llenwi'r bylchau.

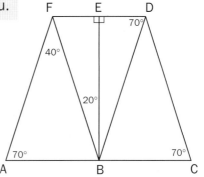

a)   Mae FB yn baralel i _____ .

b)   Mae FD yn berpendicwlar i _____ .

c)   Mae EB yn _____ i AC.

ch) Mae AB yn _____ i ED.

d)   Triongl _____ ydy FDB.

dd) Triongl _____ ydy EDB.

e)   _____ ydy FDBA.

f)   _____ ydy ACDF.

ff)   FÂB = _____°

g)   BĈD= _____°

ng) BD̂E = _____°

h)   AB = _____ = _____

i)   AF = _____ = _____ = _____

2   Rhowch enwau'r polygonau.

a)    b)    c)

ch)   d)   dd)   e)

POLY!

Lle mae Poly?

'Yma o hyd ...'

Disgo Dydd Mercher

f)   ff)   g)   ng)

Mae pethau'n dechrau siapio

Dysgwch enwau'r siapiau a nifer yr ochrau sydd ganddynt. Mae "-gon" ar ddiwedd enwau llawer o'r polygonau ac mae rhan gyntaf yr enwau yn dweud faint o ochrau sydd, e.e. mae "penta-" yn golygu pump, "octa-" wyth ac yn y blaen. Pa fo'r ochrau yr un hyd, gelwir y polygonau yn rhai "rheolaidd". Mae mor syml â hynny.

Onglau a Thrionglau

1   Faint ydy'r onglau y mae'r llythrennau yn eu cynrychioli?

a)
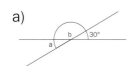

b)
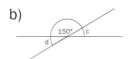

c)

ch)
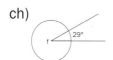

d)

dd)

e)

f)
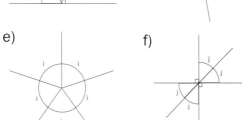

Mam, dydi hynna **ddim** yn deg! Cafodd Siân 28° o'r gacen a minnau dim ond 26°!

180° ydy cyfanswm onglau (mewnol) triongl.

Mae onglau ar bwynt yn adio i 360°.

2   Cyfrifwch yr onglau anhysbys sydd yn y trionglau.

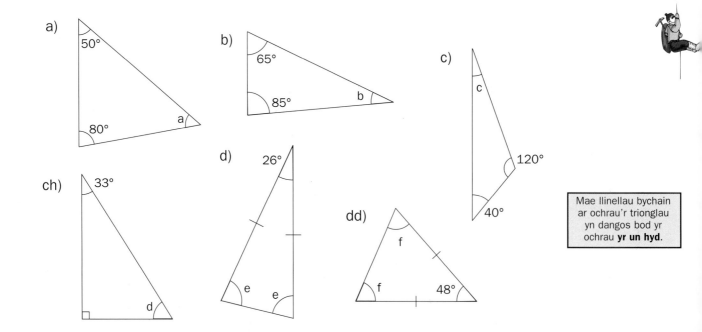

a)   50°   80°   a

b)   65°   85°   b

c)   c   120°   40°

ch)   33°   d

d)   26°   e   e

dd)   f   f   48°

Mae llinellau bychain ar ochrau'r trionglau yn dangos bod yr ochrau **yr un hyd**.

Lle medrwch chi brynu ongl? Ateb: mewn siop gornel!

Os cofiwch fod onglau triongl neu onglau ar linell syth yn adio i roi 180°, yna ddylech chi ddim methu. Hefyd, cofiwch fod onglau ar bwynt yn adio i roi 360°. Cofiwch hyn i gyd a dylai'r gwaith hwn fod yn hawdd fel dŵr.

Braslunio Siapiau 2-D

1   Copïwch a labelwch y trionglau gan ddefnyddio "hafalochrog", "isosgeles", "anghyfochrog" neu "ongl sgwâr".

a)   b)   c)

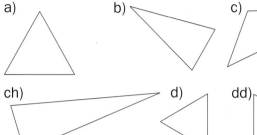
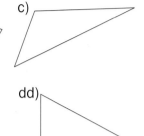

ch)   d)   dd)

2   Copïwch a labelwch y pedrochrau gan ddefnyddio "sgwâr", "petryal", "rhombws", "paralelogram", "trapesiwm", "barcut", "afreolaidd ceugrwm" neu "afreolaidd amgrwm".

a)   b)   c)   ch)

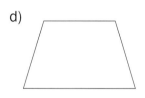
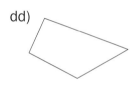
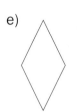
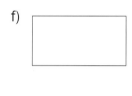

d)   dd)   e)   f)

3   Lluniadwch sgwâr 20 cm × 20 cm.

a)   Tynnwch linell i gysylltu canolbwynt pob ochr i'r ddau ganolbwynt agosaf, i ffurfio ail sgwâr.

b)   Pa ffracsiwn o'r sgwâr gwreiddiol ydy'r ail sgwâr?

c)   Byddwch wedi ffurfio pedwar triongl hefyd.
Pa ffracsiwn o'r sgwâr gwreiddiol ydy un triongl?

ch)   Yn yr un modd, lluniadwch drydydd sgwâr y tu mewn i'r ail un.
Cyfrifwch y ffracsiynau ar gyfer y trydydd sgwâr a'r trionglau sydd yn eich diagram.

4   Beth ydy maint pob ongl sydd mewn triongl hafalochrog?

a)   Tynnwch lun 6 thriongl hafalochrog sy'n union yr un faint a thorrwch nhw o'r papur gan ddefnyddio siswrn.

b)   Gosodwch y trionglau gyda'i gilydd i ffurfio hecsagon rheolaidd.

c)   Beth mae hyn yn ei ddweud wrthych am onglau hecsagon rheolaidd?

Dy Ddai di, nid fy Nai i

Mwynhewch hyn tra medrwch; nid ym mhob gwers mathemateg y cewch farciau am dynnu lluniau a thorri siapiau allan o bapur. Mae ychydig o bethau i chi i'w cofio, fel enwau'r gwahanol fathau o drionglau. Ond gallai pethau fod yn waeth; gallech fod yn golchi llestri.

Defnyddio Polygonau (sylfaenol)

1   Dyma ddilyniant siapiau. Atebwch gwestiynau (a) i (c) heb dynnu mwy o luniau.

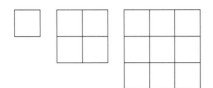

	Siâp 1×1	Siâp 2×2	Siâp 3×3	Siâp 4×4
Nifer y sgwariau 1×1	1	4		
Nifer y sgwariau 2×2	0	1	4	
Nifer y sgwariau 3×3	0	0		
Nifer y sgwariau 4×4	0	0		
Cyfanswm y sgwariau	1	5		

    a)   Gorffennwch lenwi'r tabl.

    b)   Nodwch unrhyw batrymau yr ydych wedi sylwi arnynt.

    c)   Beth fydd yn digwydd gyda siâp 5 × 5?

    ch)   Tynnwch lun y siâp 5 × 5 er mwyn rhoi prawf ar eich ateb i (c).

2   Tynnwch lun hecsagon rheolaidd a labelwch y fertigau yn A, B, C, D, E ac F. Cysylltwch y fertigau cyferbyn trwy ganol yr hecsagon a rhowch y label X ar y canol. Chwiliwch am y siapiau hyn:

    a)   trapesiwm

    b)   rhombws

    c)   triongl hafalochrog

    ch)   heptagon ceugrwm

    d)   hecsagon ceugrwm

Corneli ydy ystyr "fertigau".

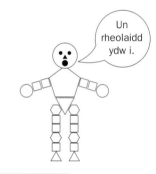

Un rheolaidd ydw i.

3   Defnyddiwch y ffaith fod onglau unrhyw driongl yn adio i roi 180° er mwyn cyfrifo yr holl onglau sydd yn y siâp hwn.

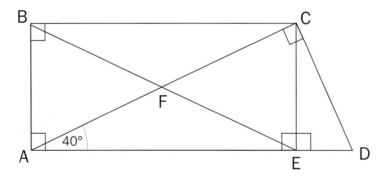

    a)   Nodwch dri phedrochr gwahanol o'r diagram uchod. Rhowch gyfanswm yr onglau mewnol bob tro.

    b)   A ydych yn sylwi ar unrhyw beth?

Amlochron – dyna chi, enw arall ar bolygon

Mae nifer o enwau i'w cofio yma: rhai'n hawdd fel triongl, pedrochr a decagon; ac eraill sy'n anoddach fel hecsagon a heptagon. Mae enwau mwy dealladwy ar gyfer y rhain hefyd: chweochron neu chweongl a seithochron neu seithongl, ond y lleill sy'n cael eu defnyddio amlaf.

Defnyddio Polygonau (anoddach)

1   Nodwch faint ydy pob ongl anhysbys sydd ar y siâp hwn.

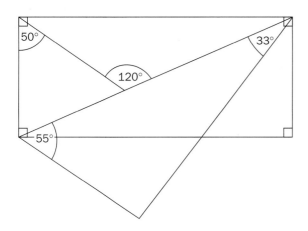

2   Cyfrifwch yr onglau sydd wedi'u nodi ar y polygonau rheolaidd hyn.

a)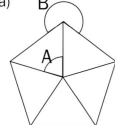
     b)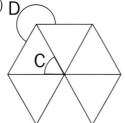
     c)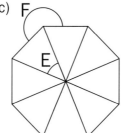
     ch)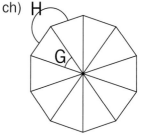

3   Gwnewch gopi o'r diagram hwn a nodwch faint ydy pob ongl.

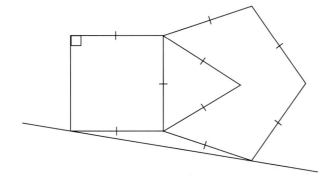

Awgrym: Defnyddiwch yr hyn yr ydych wedi'i ddysgu yng nghwestiwn 2.

Plygu beth pa ffordd?

4   Cymerwch ddarn o bapur a'i blygu ddwywaith yn ei hanner, fel yn y llun ar y dde. Dychmygwch eich bod yn mynd i dorri cornel oddi ar eich siâp newydd, sef y gornel a oedd ar ganol y papur cyn i chi ei blygu.

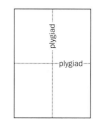

    a)   Beth fydd siâp y twll y byddwch yn ei wneud?

    b)   Torrwch y papur i weld.

Wyt ti'n cofio ...?

Un ffordd o sicrhau y bydd rhywun yn cofio ffeithiau am onglau ydy trwy ddefnyddio'r ffeithiau hynny. Dyna a gawn ar y dudalen hon: digon o ymarfer yr un math o bethau. Gwell nag athro yw arfer.

Adran Pump – Siâp, Gofod a Mesurau

Siapiau 3-D

1 Lluniadwch un rhwyd ar gyfer pob un o'r solidau hyn.

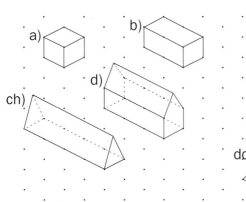 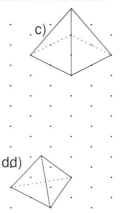 

2 O'r rhwydi hyn, dewiswch ddwy a fydd yn gwneud ciwb (6 wyneb) a dwy a fydd yn gwneud ciwb agored (5 wyneb).

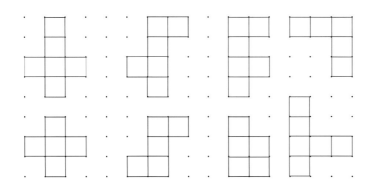

3 Lluniadwch uwcholwg (edrych i lawr) a dau ochrolwg (edrych o'r ochr) ar gyfer pob un o'r solidau 3-D hyn.

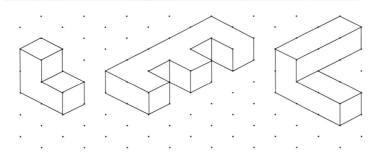 

4 Tynnwch luniau'r solidau y gallwch eu gwneud â'r rhwydi hyn. Cewch ddefnyddio papur isomedrig neu bapur dotiau.

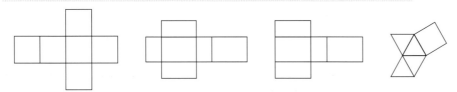

Byw mewn bocsus

Gall plygu papur yn eich pen fod yn eithaf anodd, a dyna a gewch ar y dudalen hon. Ond, os bydd pethau'n anodd, defnyddiwch bapur, eich dwylo neu unrhyw beth arall i'ch helpu i feddwl.

Adlewyrchu

1   Dargopïwch y diagramau hyn ac wedyn lluniwch adlewyrchiad pob siâp yn y llinell ddrych, D.

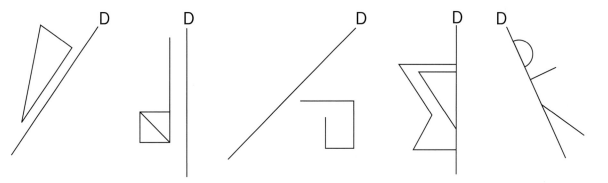

2   Dargopïwch y pedwar diagram hyn. Mae pob un yn dangos siâp a'i adlewyrchiad. Ar bob diagram, tynnwch y llinell ddrych a rhoi'r label **d** arni.

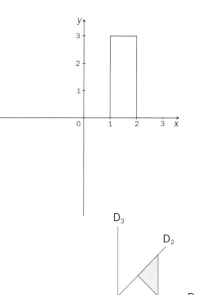

3   Copïwch y diagram sydd ar y dde a labelu'r petryal yn P.

a)   Adlewyrchwch y petryal P yn echelin x i ffurfio'r ddelwedd Ph.

b)   Adlewyrchwch Ph yn echelin y i ffurfio ail ddelwedd, R.

c)   Adlewyrchwch R yn echelin x i ffurfio trydydd delwedd, Rh.

ch)   Sut y byddech yn adlewyrchu Rh yn ôl ar P?

4   Lluniwch ddelwedd y triongl yn y llinell ddrych D_1.
Wedyn adlewyrchwch y patrwm cyfan yn D_2.
Gwnewch yr un peth yn D_3 i gwblhau'r patrwm.
(Cofiwch adlewyrchu'r **patrwm cyfan** bob tro.)
Sawl llinell cymesuredd sydd gan y patrwm ar y diwedd?

'Drychwch, mae byd arall y tu ôl i'r gwydr

Mae adlewyrchu yn ymwneud â sut mae pethau'n edrych y tu ôl ymlaen. Mae'r llinell ddrych yn nodi'r lle i osod y drych er mwyn gweld yr adlewyrchiad. Gosodwch ddrych ar y llinellau drych sydd ar y dudalen hon. A gewch yr un siapiau? Gosodwch y drych mewn gwahanol lefydd i weld sut mae'r adlewyrchiad yn newid.

Cylchdroi

1   Copïwch y diagram hwn.

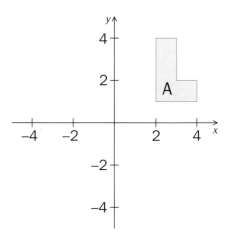

a)   Mae'r siâp A yn cylchdroi trwy 90° clocwedd
     o gwmpas (0, 0) i ffurfio'r ddelwedd B. Lluniwch B.

b)   Mae'r siâp A yn cylchdroi trwy 180° o gwmpas
     (0, 0) i ffurfio'r ddelwedd C. Lluniwch C.

c)   Mae'r siâp A yn cylchdroi trwy 180° o gwmpas
     (2, 2) i ffurfio'r ddelwedd Ch. Lluniwch Ch.

ch) Mae'r siâp C yn cylchdroi trwy 90° gwrthglocwedd
     o gwmpas (−4, −2) i ffurfio'r ddelwedd D.
     Lluniwch D.

2   Lluniadwch set o echelinau gydag x ac y yn mynd o −5 i 5.

a)   Plotiwch y pwyntiau A (1, 1), B (1, 3), C (3, 3) a D (3, 1) a'u cysylltu i ffurfio sgwâr.

b)   Cylchdrowch ABCD 90° clocwedd o gwmpas (0, 0) i ffurfio $A_1B_1C_1D_1$.

c)   Cylchdrowch ABCD 90° gwrthglocwedd o gwmpas (0, 0) i ffurfio $A_2B_2C_2D_2$.

ch) Cylchdrowch ABCD 180° clocwedd o gwmpas (3, 3) i ffurfio $A_3B_3C_3D_3$.

d)   Cylchdrowch ABCD 90° clocwedd o gwmpas (3, 1) i ffurfio $A_4B_4C_4D_4$.

3   Ar set arall o echelinau gydag x ac y yn mynd
    o 0 i 5, lluniadwch y sgwâr ABCD o gwestiwn 2.

TROELLWR

a)   Defnyddiwch (2, 2) fel canol y cylchdro i
     wneud y canlynol.
     (i)   cylchdro trwy 90° clocwedd
     (ii) cylchdro trwy 180°
     (iii) cylchdro trwy 270° clocwedd

b)   Beth ydych yn sylwi arno?

4   Tynnwch luniau dwy enghraifft o bob un o'r canlynol.

> Mae gormod o
> gylchdroi yn medru
> bod yn beth drwg.

a)   siâp sydd â 4 llinell cymesuredd

b)   siâp sydd â chymesuredd cylchdro trefn 3

c)   siâp sydd â chymesuredd cylchdro trefn 4 ond heb linell cymesuredd

Rownd a rownd

Wrth gylchdroi, cymerwch ofal eich bod yn troi i'r cyfeiriad cywir.
Mae 90° clocwedd yr un fath â 270° gwrthglocwedd.

Trawsfudo a Thrawsffurfiadau Eraill

1   Copïwch y diagram hwn a thynnwch lun y triongl tywyll ar ôl pob trawsfudiad.

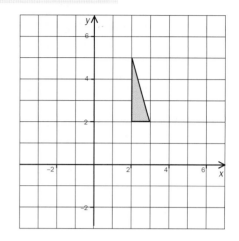

   a)   (i)   4 uned i'r dde – Rhowch y label A ar y triongl.

          (ii)   2 uned i fyny – Rhowch y label B ar y triongl.

          (iii)   3 uned i'r dde ac yna 2 uned i lawr
              – Rhowch y label C ar y triongl.

          (iv)   2 uned i'r chwith ac yna 1 uned i fyny
              – Rhowch y label Ch ar y triongl.

   b)   Pa drawsfudiad sy'n symud y triongl Ch yn ôl ar
         y triongl tywyll?

   c)   Pa drawsfudiad sy'n symud y triongl C ar y triongl A?

2   Defnyddiwch y diagram hwn i ddisgrifio'r trawsfudiadau canlynol.

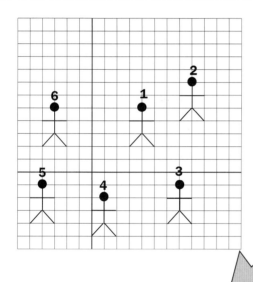

   a)   dyn 1 ar ddyn 2

   b)   dyn 1 ar ddyn 3

   c)   dyn 1 ar ddyn 4

   ch)   dyn 1 ar ddyn 5

   d)   dyn 1 ar ddyn 6

   dd)   dyn 3 ar ddyn 5

   e)   dyn 5 ar ddyn 3

   f)   dyn 3 ar ddyn 6

*Cofiwch fod "trawsffurfiadau" yn cynnwys cylchdro, adlewyrchu **a hefyd** trawsfudo.*

3   Disgrifiwch y trawsffurfiadau hyn.

   a)   B ar Ch   dd)   D ar Dd

   b)   B ar A   e)   E ar B

   c)   B ar Dd   f)   F ar E

   ch)   Dd ar C   ff)   C ar B

   d)   D ar B   g)   B ar C

Os nad ydych yn gwybod beth ydy hafaliad unrhyw linell ddrych, nodwch ddau bwynt sydd ar y llinell.

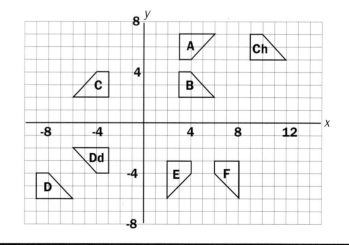

Trawsfudo – symud i dŷ newydd yn Nhrawsfynydd?

Ystyr trawsfudo ydy symud rhywbeth heb iddo gylchdroi. Mae fel petai'r siâp yn llithro ar draws y papur graff, e.e. mae'r trawsfudiad $\left(\frac{2}{4}\right)$ yn golygu llithro 2 uned i'r dde a 4 uned i fyny. Dyna ni, trawsfudo ydy'r trawsffurfiad hawsaf.

Cyfesurynnau

1   Lluniadwch set o echelinau lle mae *x* ac *y* yn mynd o –6 i 6. Wedyn plotiwch y pwyntiau canlynol a'u cysylltu, mewn trefn, i ffurfio llythrennau. Beth ydy'r gair?

a)   (–5, 1) (–4, 1) (–4, 3) (–3, 3) (–3, 1) (–2, 1) (–2, 6) (–3, 6) (–3, 4) (–4, 4) (–4, 6) (–5, 6) (–5, 1)

b)   (1, 1) (1, 6) (4, 6) (4, 5) (2, 5) (2, 4) (4, 4) (4, 3) (2, 3) (2, 2) (4, 2) (4, 1) (1, 1)

c)   (–4, 0) (–5, 0) (–5, –5) (–5, –2) (–4, –2) (–4, –4) (–4, 0)

ch) (1, 0) (4, 0) (4, –1) (3, –1) (3, –4) (4, –4) (4, –5) (1, –5) (1, –4) (2, –4) (2, –1) (1, –1) (1, 0)

2   Nodwch gyfesurynnau'r pwyntiau sydd ar goll o'r siapiau.
Mae'r pwynt sydd ar goll o (a) wedi'i nodi ar y diagram.

a)   sgwâr: cyfesurynnau (2, 2) (2, 4) (4, 2)

b)   sgwâr: cyfesurynnau (1, 2) (2, 2) (2, 1)

c)   petryal: cyfesurynnau (0, 0) (5, 2) (0, 2)

ch) petryal: cyfesurynnau (–3, 2) (1, 2) (1, –3)

d)   rhombws: cyfesurynnau (7, 5) (10, 3) (13, 5)

dd) barcut: cyfesurynnau (6, 2) (8, 6) (6, 8)

e)   rhombws: cyfesurynnau (–3, 4) (–6, 8) (–3, 12)

f)   paralelogram: cyfesurynnau (2, 0) (0, –4) (6, –4)

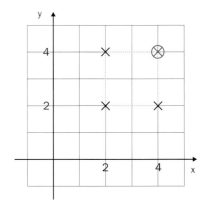

3   Lluniadwch set o echelinau lle mae *x* ac *y* yn mynd o –5 i 5.

Gan ddechrau yn y tardd (0, 0) dilynwch y camau hyn.

Mae'r cam cyntaf wedi'i wneud i chi ar yr echelinau.

1   Adiwch 1 at y cyfesuryn *x*.
Nodwch y cyfesurynnau newydd a phlotiwch y pwynt newydd.

2   Adiwch 1 at y cyfesuryn *y*.
Nodwch y cyfesurynnau newydd a phlotiwch y pwynt newydd.

3   Tynnwch 2 o'r cyfesuryn *x*.
Nodwch y cyfesurynnau newydd a phlotiwch y pwynt newydd.

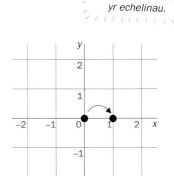

4   Tynnwch 2 o'r cyfesuryn *y*.
Nodwch y cyfesurynnau newydd a phlotiwch y pwynt newydd.

5   Adiwch 3 at y cyfesuryn *x*.
Nodwch y cyfesurynnau newydd a phlotiwch y pwynt newydd.

6   Adiwch 3 at y cyfesuryn *y*.
Nodwch y cyfesurynnau newydd a phlotiwch y pwynt newydd.

Arbrofwch gyda dilyniannau tebyg i lunio patrymau gwahanol.

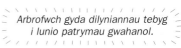

7   Ewch ymlaen nes ei bod yn eglur sut y bydd y patrwm yn edrych.
Disgrifiwch y patrwm.

Cymerwch ofal

Does dim byd yn anodd mewn plotio cyfesurynnau. Er hynny, pan fo gennych lawer i'w gwneud ac rydych yn gweithio'n gyflym, yna mae'n hawdd gwneud camgymeriadau gwirion. Felly, byddwch yn bwyllog a gwiriwch bob pwynt.

Lluniadu Siapiau

1   Mesurwch y llinellau hyn i'r milimetr agosaf.

a) ————————————   d) ————————————————

b) ——————————   dd) ————————————

c) ————————————————   e) ——

ch) ——————————————————   f) ————

2   Mesurwch yr onglau hyn i'r radd agosaf.

a) 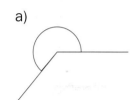   b)   c)    ch)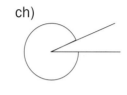

d)    dd)   e)   f)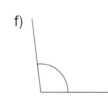

3   Defnyddiwch ffon fesur ac onglydd i luniadu'r siapiau canlynol.

a)   triongl gyda dwy ochr a'r ongl rhyngddynt wedi'u rhoi:

   (i) 5 cm, 5 cm, 30°   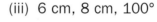   (iii) 6 cm, 8 cm, 100°

   (ii) 3 cm, 6 cm, 45°   (iv) 5 cm, 8 cm, 90°

b)   triongl gyda dwy ongl a'r ochr rhyngddynt wedi'u rhoi:

   (i) 40°, 90°, 6.5 cm   (ii) 40°, 60°, 8 cm

c)   rhombws gydag un ongl a'r ochrau wedi'u rhoi:

   (i) 40°, 4 cm   (ii) 120°, 5 cm

4   Defnyddiwch ffon fesur, cwmpas ac onglydd i luniadu rhwyd yn fanwl gywir ar gyfer pob un o'r siapiau hyn.

a)   pyramid sylfaen sgwâr: sylfaen 4 cm wrth 4 cm; ymylon goleddol 5 cm

b)   pyramid sylfaen sgwâr: sylfaen 4 cm wrth 4 cm; ymylon goleddol 8 cm

c)   prism triongl hafalochrog: ochrau'r trionglau 3 cm; hyd 7 cm

ch) prism triongl isosgeles: ochrau'r trionglau 2 cm, 4 cm, 4 cm; hyd 6 cm

d)   tetrahedron rheolaidd: ymylon 5 cm

Unedau Imperial a Metrig

1   Copïwch a chwblhewch:

  a) 3.0 m = ... cm = ... mm   ch) .... m = ... cm = 1000 mm   e) 5.7 km = ... m

  b) 2.5 m = ... cm = ... mm   d) .... m = ... cm = 5500 mm   f) .... km = 4400 m

  c) .... m = 500 cm = ... mm   dd) 0.5 m = ... cm = ... mm

1000 kg = 1 dunnell fetrig

2   Copïwch a chwblhewch:

  a) 1 litr = ... cl = ... ml   ch) .... litr = ... cl = 500 ml   e) .... g = ... kg = 1 dunnell fetrig

  b) 2 litr = ... cl = ... ml   d) 2000 g = ... kg   f) 9300 kg = ... tunnell fetrig

  c) .... litr = 350 cl = ... ml   dd) .... g = 7.4 kg

3   Brasluniwch sgwâr 0.1 m wrth 0.1 m. Sawl cm² sy'n ffitio y tu mewn iddo? Sawl cm² sy'n ffitio y tu mewn i sgwâr 1 m wrth 1 m? Brasluniwch sgwâr 1 cm wrth 1 cm (1 cm²). Sawl mm² sy'n ffitio y tu mewn iddo? Defnyddiwch yr atebion hyn i'ch helpu i gwblhau'r rhain.

  a) 1 m² = ... cm²   c) 1 cm² = ... mm²   d) 10 m² = ... cm²

  b) 1.5 m² = ... cm²   ch) .... cm² = 300 mm²   dd) 1 m² = ... cm² = ... mm²

4   Darllenwch y graddfeydd hyn.

a)   b)   c)   ch)   d)   dd)

e)   f)

Mae'r rhain yn dangos darlleniadau onglydd mewn graddau.

ff) **1:14:52.7**   g) **0:47:26.1**

Mae'r rhain yn dangos darlleniadau wats mewn oriau, munudau, eiliadau a degfedau o eiliad.

5   Mae Lowri a'i thaid yn cymharu unedau.

Newidiwch y mesuriadau sydd ar restr Lowri i unedau Imperial a'r rhai sydd ar restr Taid i unedau metrig. Defnyddiwch y tabl newid unedau i'ch helpu.

Newid Unedau
8 peint = 1 galwyn = tua 4.5 litr
5 milltir = tua 8 km
1 kg = tua 2.2 pwys
1 fodfedd = tua 2.5 cm
1 pwys = 16 owns = tua 450 g
0.9 m = tua 1 llath = 36 modfedd

Rhestr Lowri
Pellter o Bwllheli i'r Bermo 53 km
Mae'r gath yn pwyso 3.4 kg
Mae fflasg thermos yn dal 0.75 litr
Mae pot jam yn dal 125 g
Uchder drws y stafell wely 1.9 m

Rhestr Taid
Aberdaugleddau i'r Rhyl 159 milltir
Mae 6 galwyn o betrol
  yn costio £23.80
Mae ffyn ar gyfer yr ardd
  yn 82 modfedd o hyd.
Bagaid o datws 6 phwys

Mesur Onglau

1 Ar gyfer pob un o'r onglau hyn, nodwch ai ongl lem, ongl sgwâr, ongl aflem ynteu ongl atblyg ydyw.

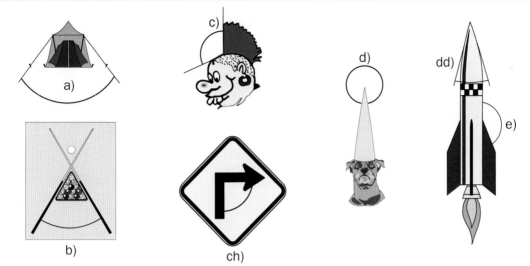

2 Amcangyfrifwch bob un o'r onglau hyn.

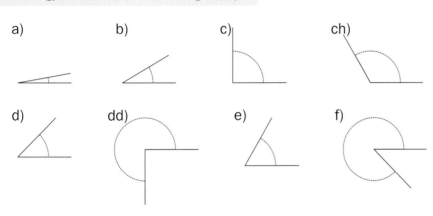

3 Mae Geraint yn wynebu'r gogledd (G). Trwy sawl gradd y bydd yn troi os bydd:

a) yn troi'n glocwedd i wynebu Dn?   ch) yn troi'n glocwedd i wynebu Gn?

b) yn troi'n wrthglocwedd i wynebu D?   d) yn troi'n glocwedd i wynebu D-Dn?

c) yn troi'n wrthglocwedd i wynebu Dn?   dd) yn troi'n wrthglocwedd i wynebu G-Gn?

4 Mae Sulwen yn wynebu'r dwyrain (Dn). Trwy sawl gradd y bydd yn troi os bydd:

a) yn troi'n glocwedd i wynebu D?   ch) yn troi'n glocwedd i wynebu Gn ?

b) yn troi'n wrthglocwedd i wynebu D?   d) yn troi'n glocwedd i wynebu D-Dn?

c) yn troi'n wrthglocwedd i wynebu G?   dd) yn troi'n wrthglocwedd i wynebu G-Gn?

5 Ar stondin yn Ffair Ben Tymor Y Bala mae'n bosibl ennill gwobr wrth droelli saeth. Bydd y saeth yn pwyntio at y wobr. Bob tro cyn troelli, mae'r saeth yn pwyntio at X. Pa wobr a enillodd Cadwaladr os oedd y saeth wedi troi:

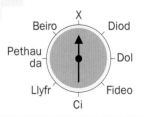

a)   315° gwrthglocwedd?   ch) 675° gwrthglocwedd?

b)   225° clocwedd?   d)   810° clocwedd?

c)   900° clocwedd?   dd) 450° gwrthglocwedd?

Perimedr ac Arwynebedd

1   Faint ydy perimedr ac arwynebedd pob un o'r petryalau hyn, ac arwynebedd pob triongl tywyll?

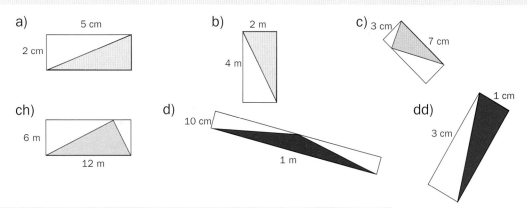

a) 5 cm, 2 cm
b) 2 m, 4 m
c) 3 cm, 7 cm
ch) 6 m, 12 m
d) 10 cm, 1 m
dd) 1 cm, 3 cm

2   Cyfrifwch arwynebedd a pherimedr pob un o'r siapiau hyn.

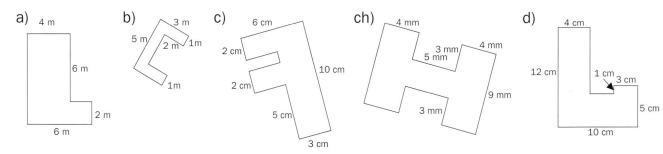

a) 4 m, 6 m, 6 m, 2 m
b) 3 m, 5 m, 2 m, 1m, 1m
c) 6 cm, 2 cm, 2 cm, 10 cm, 5 cm, 3 cm
ch) 4 mm, 3 mm, 5 mm, 4 mm, 9 mm, 3 mm
d) 4 cm, 12 cm, 1 cm, 3 cm, 5 cm, 10 cm

3   Mae'r un arwynebedd gan bob un o'r siapiau hyn. Nodwch y mesuriadau sydd ar goll.

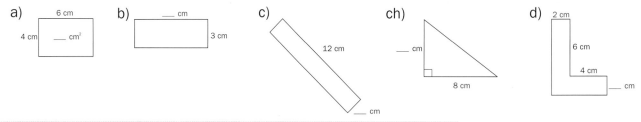

a) 6 cm, 4 cm, __ cm²
b) __ cm, 3 cm
c) 12 cm, __ cm
ch) __ cm, 8 cm
d) 2 cm, 6 cm, 4 cm, __ cm

4   Lluniwch frasluniau 5 siâp fel bod gan bob un arwynebedd gwahanol ond yr un perimedr, sef 16 cm. Nodwch y mesuriadau bob tro.

5   Lluniwch frasluniau 5 siâp fel bod gan bob un berimedr gwahanol ond yr un arwynebedd, sef 16 cm². Nodwch y mesuriadau bob tro.

6   Lluniwch fraslun pob un o'r siapiau hyn. Nodwch y mesuriadau bob tro.

Rwyn dy garu di Mr Sgodyn.

Mae'n bert!

a)   petryal sydd ag arwynebedd 18 m² a pherimedr 22 m
b)   petryal sydd ag arwynebedd 30 cm² a pherimedr 22 cm
c)   sgwâr sydd â pherimedr 28 cm Faint ydy ei arwynebedd?
ch)   triongl sydd ag arwynebedd 14 m² a sail 7 m

A ydych yn arwynebol?

Hwyrach mai perimedr ac arwynebedd ydy rhai o'r pethau hawsaf ym mathemateg Cyfnod Allweddol 3. Wrth gyfrifo perimedrau, gallech adio hyd yr holl ochrau gan ddechrau yn un gornel a mynd o amgylch y siâp tan y dowch yn ôl at y pwynt hwnnw. Mae cyfrifo arwynebedd petryal yn haws fyth: lluoswch yr hyd â'r lled, a dyna chi.

Cyfaint ac Arwynebedd

1   Edrychwch ar y diagram sydd ar y dde.

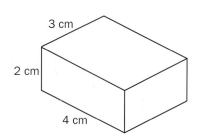

a)   Sawl ciwb 1 cm³ sy'n ffitio y tu mewn i'r ciwboid hwn?

b)   Sawl wyneb sydd gan y ciwboid?

c)   Cyfrifwch arwynebedd pob wyneb.

ch) Cyfrifwch gyfanswm arwynebedd holl wynebau'r ciwboid.

Brasluniwch rwyd pob un os oes arnoch eisiau – gallai fod o gymorth.

2   Atebwch y cwestiynau ar gyfer pob un o'r ciwboidau hyn.

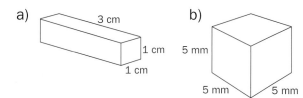

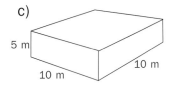

(i)   Faint ydy cyfaint y ciwboid?

(ii) Cyfrifwch gyfanswm arwynebedd holl wynebau'r ciwboid.

3   Cyfrifwch gyfaint pob prism triongl sydd isod.   *Awgrym: Mae pob un o'r prismau yn hanner ciwboid.*

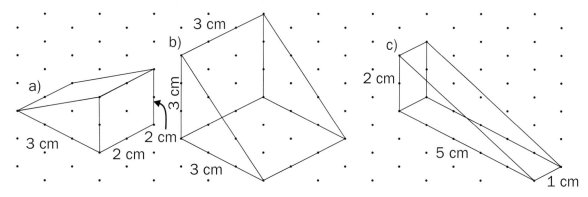

4   Mae cwmni Dadada yn cychwyn marchnata gwm cnoi newydd, sef "Ciwbiau Cnoi". Mae pob darn o'r gwm cnoi ar ffurf ciwb ag ochrau 1 cm.

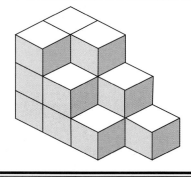

a)   Os ydy'r cwmni am werthu'r gwm mewn pecynnau o 12, pa wahanol ddulliau pacio sydd yna?

b)   Pa un sy'n defnyddio'r lleiaf o bapur lapio?

c)   Os bydd 24 darn mewn pecyn mawr, pa wahanol ddulliau pacio fydd yna?

ch) Pa becyn mawr sy'n defnyddio'r lleiaf o bapur lapio?

Dydy cyfaint ddim cymaint o broblem

Dylech chwilio am ffyrdd o wneud cwestiynau anodd yn haws. Yr oedd pob prism triongl ar y dudalen hon yn hanner ciwboid, ac mae cyfrifo cyfaint ciwboid yn hawdd. Felly, dyna chi wedi gwneud prismau triongl yn hawdd hefyd. Gwych.

Casglu Data

1   Mae llywodraethwyr ysgol yn poeni am ddiogelwch y disgyblion oherwydd y drafnidiaeth sydd y tu allan i'r ysgol, ac maent yn cynllunio arolwg.

a)   Gwnewch restr o'r pethau y gallai'r llywodraethwyr ymchwilio iddynt.

b)   Dewiswch amser da i wneud yr arolwg a dywedwch pam eich bod wedi dewis yr amser hwnnw.

c)   Mae dynes sy'n byw y drws nesaf i'r ysgol yn cynnig cyfrif ceir y tu allan i'r ysgol pan ddaw adref o'i gwaith. Pam nad ydy hyn yn debygol o fod o gymorth?

2   Mae'r prifathro yn poeni am yr holl geir sydd y tu allan i'r ysgol pan fydd rhieni yn danfon eu plant neu'n mynd â nhw adref.

a)   Gwnewch restr o'r pethau y tybiwch a allai gael dylanwad ar y rhieni wrth iddynt drefnu sut y bydd eu plant yn teithio i'r ysgol.

b)   Defnyddiwch eich rhestr i feddwl am gwestiynau y gallai'r prifathro eu gofyn i'r rhieni.

3   Mae Nia yn ceisio dewis llyfr fel anrheg i'w brawd bach sy'n 6 oed.

a)   Gwnewch restr o'r ffyrdd y gallai Nia benderfynu a oedd llyfr yn addas.

b)   Defnyddiwch y rhestr hon i gymharu llyfr plant â llyfr oedolion. A oedd eich rhestr yn un ddefnyddiol?

4   Cymerwch ddau lyfr gwahanol ac atebwch y cwestiynau sy'n dilyn.

Fy llyfr i ydy'r gorau.

a)   Faint o bob tudalen sy'n cynnwys lluniau a faint sy'n cynnwys geiriau?
(Amcangyfrifwch arwynebedd y rhannau lle mae'r lluniau ac arwynebedd y rhannau lle mae'r geiriau.)

b)   Dewiswch baragraff o'r naill lyfr a'r llall er mwyn cymharu nifer y geiriau mewn brawddeg yn y ddau lyfr.

c)   Hefyd, cymharwch hyd y geiriau sydd yn y ddau lyfr.
(Defnyddiwch gyfartaleddau.)

Trin data – da 'te!

Mae'r gwaith hwn yn ddigon syml ond i chi ddefnyddio synnwyr cyffredin. Mae hyn yn wahanol i waith arall y buoch yn ei wneud, lle'r oedd angen dysgu dull, a gwneud hynny yn drwyadl.

Dethol Data

1   Mae Siân yn gwneud arolwg o'r bwyd y mae'r disgyblion yn ei brynu mewn ffreutur ysgol.

   a)   Mae Siân eisiau sicrhau y bydd ganddi drawstoriad da o ddisgyblion.
        Sut y gallai sicrhau y bydd y sampl yn addas?

   b)   A ddylai Siân ail-wneud yr arolwg ar ddiwrnod arall?
        Sut y gallai sicrhau na fydd tuedd gan y data?

2   Mae Meleri yn ymchwilio i batrymau prynu yn y tŷ bwyta, Bar
    Byrgyr McDuff. Mae'n mynd i holi'r cwsmeriaid yn y tŷ bwyta.

   a)   Pa fath o gwestiynau y dylai Meleri eu gofyn?

   b)   A oes angen gofyn i bob cwsmer?

   c)   Dim ond am awr ar ôl ysgol y mae'n bosibl i Meleri ymweld
        â'r tŷ bwyta. A fydd ganddi sampl da? Os na fydd, pam?

3   Mae Cwmni Teledu Draenen ar fin cychwyn sianel deledu newydd ac
    mae arnynt eisiau darganfod pa raglenni y mae pobl yn eu hoffi fwyaf.

   a)   Ar gyfer pob un o'r dulliau samplu, dywedwch a ydych yn meddwl ei
        fod yn dda neu'n wael, ac eglurwch eich atebion:

        (i)   cynnal arolwg o bobl wedi'u dewis ar hap o lyfr ffôn ac sy'n ateb
              y ffôn rhwng 10 o'r gloch y bore a hanner dydd ar ddydd Mawrth

        (ii) cynnal arolwg o'r holl ddisgyblion sy'n gadael yr ysgol un
              prynhawn

   (iii) cynnal arolwg o bobl sy'n siopio mewn tref farchnad dros gyfnod o un wythnos

   (iv)   cynnal arolwg o bobl sy'n mynd i gyngerdd cerddoriaeth
          glasurol yn yr Eisteddfod Genedlaethol.

   (v)   cynnal arolwg o bobl wedi'u dewis ar hap o'r rhestr etholwyr

   (vi)   cynnal arolwg o'r bobl sydd ar ddechrau llyfr ffôn Aberystwyth

   (vii) cynnal arolwg o'r bobl sydd wedi glanio ar y Lleuad er 1969

   b)   Pa un y byddech yn ei ddewis? Rhowch resymau dros eich dewis.

4   Mae'r llywodraeth yn cynllunio i wario mwy ar addysg dros yr 20 mlynedd nesaf. Ymhle y gallent
    chwilio am y data y bydd arnynt eu hangen mewn perthynas â niferoedd, rhyw a lleoliad?

Adran Chwech – Trin Data

Casglu Data

1   Cynlluniwch siart addas i gasglu data am nifer y cerbydau a'r math o gerbydau ar gyfer arolwg trafnidiaeth. Defnyddiwch gyfnodau amser o 15 munud.

2   Cynlluniwch gwestiynau addas sy'n defnyddio blychau ticio i gasglu'r wybodaeth ganlynol.

    a)   sut y mae disgyblion yn teithio i'r ysgol

    b)   faint o amser y mae'r daith yn ei gymryd

    c)   a ydynt yn teithio ar eu pennau eu hunain neu gydag eraill

    ch)   a ydynt yn defnyddio cludiant cyhoeddus
           (os oes gwasanaeth ar gael)

3   Cynlluniwch siart cyfrif i gasglu data am hyd y brawddegau sydd ar dudalen mewn llyfr. Grwpiwch y brawddegau yn rhai 1-5 gair, 6-10 gair ac felly ymlaen.

Efallai nad af i heddiw ...

4   'Rydych am fynd i orsaf drenau i gasglu data am faint o amser y mae pobl yn ei gymryd i deithio i'r gwaith ac yn ôl bob diwrnod.

    a)   Penderfynwch ar gyfyngau dosbarth addas ar gyfer yr amser a gymerodd y daith.

    b)   Lluniwch gwestiynau a siart cyfrif y gallech ei ddefnyddio'n hawdd.

5   Mae dosbarth 7P yn cynllunio holiaduron i'w defnyddio yn yr ysgol. Mae enghraifft i'w gweld yma. A ydych yn sylwi ar unrhyw broblemau? Dywedwch sut i wella'r holiadur.

1. Pa mor bell ydych yn teithio i'r ysgol?

1 filltir	2 filltir	3 milltir	4 milltir	5 milltir

2. Beth ydy eich hoff fwyd? _____

3. Faint o ddisgyblion sydd yn eich dosbarth mathemateg?

1–15	15–20	20–25	25–30

4. Faint o deledu rydych yn ei wylio?

0–1 awr	1–2 awr	2–3 awr	3–4 awr	4–5 awr

Holi hwn a'r llall

Mae casglu data yn waith digon derbyniol o'i gymharu â rhai pethau mewn mathemateg. Cadwch y cwestiynau yn syml, a gwnewch yn sicr y bydd yr atebion yn ddefnyddiol. Peidiwch â gofyn faint ydy oed rhywun gan ddefnyddio blychau ticio ar gyfer 0-100, 100-200 ac ati. Bod yn wirion ydy hynny.

Cymedr, Modd, Canolrif ac Amrediad

1   Nodwch y modd ar gyfer pob un o'r setiau hyn o rifau.

   a)   2, 6, 3, 8, 1, 4, 5, 8, 5, 2, 5, 3, 7, 3, 8, 7, 8, 1

   b)   25, 21, 25, 21, 23, 21, 23, 29

   c)   0.4, 0.3, 0.2, 0.4, 0.1, 0.2, 0.3, 0.4

   ch) 10, 7, 8, 10, 7, 8, 9, 7, 10

   d)   107, 106, 103, 108, 104, 106, 105, 105, 106

2   Cyfrifwch y canolrif a'r amrediad ar gyfer pob un o'r setiau hyn o rifau.

   a)   4, 3, 8, 5, 7, 6, 3, 6, 8   ch) 12, 17, 14, 9, 19, 14

   b)   5, 6, 3, 9, 10, 13, 3   d)   91, 98, 95, 92, 96, 93

   c)   0.3, 0.2, 0.1, 0.4, 0.7, 0.34, 0.45   dd) 38, 45, 39, 32, 40, 32

3   Cyfrifwch y cymedr ar gyfer pob un o'r setiau hyn o ddata.

   a)   3, 4, 6, 8, 9   c)   101, 102, 104, 105, 105, 113

   b)   24, 25, 26, 26, 30, 31   ch) 1.1, 1.3, 1.4, 1.8, 2.1, 2.3, 2.4

4   Mae siopau Lewis Lewis yn dadansoddi eu gwerthiant.
     Nodwch y canolrif a'r modd ym mhob achos.

   a)   gwisgoedd (maint pob un):   18, 10, 12, 12, 16, 12, 16, 16, 14, 10,
                                         14, 14, 14, 14, 16, 12, 14, 16, 14, 18

   b)   esgidiau (maint pob pâr):

4	$4\frac{1}{2}$	5	$5\frac{1}{2}$	6	$6\frac{1}{2}$
||||	||||	|||| ||	|||| |||	|||| ||	||||

   c)   bwyd babi (yn ôl oed y babi):   6 mis (6), 9 mis (3), 18 mis (1)

   ch) bariau siocled (yn ôl pwysau): 3 × 50 g, 5 × 100 g, 6 × 150 g

Mwy o siocled!
Mwy, mwy, MWY!

O na ... mae'n
mynd i ffrwydro.

Cymedr, Modd, Canolrif ac Amrediad

1   Pwysau cymedrig 4 bachgen ydy 53 kg a phwysau cymedrig 3 geneth ydy 48 kg.
    Cyfrifwch y canlynol.

   a)   cyfanswm pwysau'r bechgyn

   b)   cyfanswm pwysau'r genethod

   c)   pwysau'r 7 plentyn gyda'i gilydd

   ch) pwysau cymedrig yr holl blant – Rhowch eich ateb i 1 lle degol.

2   Pwysau cymedrig 3 mab ydy 56 kg a phwysau cymedrig
    4 merch ydy 51 kg. Cyfrifwch bwysau cymedrig y 7 plentyn.

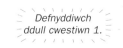

Defnyddiwch ddull cwestiwn 1.

3   Mae pum rhif gennyf. 8 ydy cymedr y rhifau, 9 ydy'r canolrif,
    5 ydy'r modd a 6 ydy'r amrediad. Beth ydy'r pum rhif?

4   Mae pum rhif gennyf. 14 ydy cymedr y rhifau, 15 ydy'r modd, 15 ydy'r
    canolrif, 5 ydy'r amrediad ac 16 ydy'r rhif mwyaf. Beth ydy'r pum rhif?

5   Y tymor diwethaf, chwaraeodd tîm pêl-fasged Caergarreg 10 gêm.
    Cymedr sgoriau'r tîm oedd 21 pwynt y gêm. Yn y 9 gêm gyntaf sgoriodd
    y tîm 6, 23, 30, 20, 7, 46, 12, 13 a 24. Faint oedd eu sgôr yn y gêm olaf?

6   Ar gyfer pob set ddata, cyfrifwch y canlynol: (i) cymedr; (ii) canolrif; (iii) modd; (iv) amrediad.

   a)   meintiau crysau dynion

   14   14   15   15½   15½
   15½   15½   16   16   16½

   b)   canlyniadau profion mathemateg   1   13   14   20   21   23   23   25   26   27   30

   c)   cyfraddau cyflogau yr awr

   £3.20   £3.25   £3.65   £4.20   £4.35   £4.90
   £5.60   £5.60   £6.10   £6.10   £15.50

   ch) oedrannau   1   1   1   7   8   9   9   10   15   16   17

   d)   prisiau ceir a werthwyd
        mewn wythnos

   £5,600   £5,600   £7,800   £9,000   £10,000
   £10,500   £12,000   £15,000   £33,000   £56,000

   dd) enillion lotri mewn un dref

   £10   £10   £10   £10   £10   £10   £10   £10
   £60   £25,000

   e)   mwy o ganlyniadau profion   1   2   2   3   4   35   36   36   37   37

Llunio Graffiau a Siartiau

1 Copïwch a chwblhewch y tabl, a lluniwch siart cylch i ddangos yr wybodaeth.

Hoff Sebon ar y teledu	Nifer y gwylwyr	Graddau
Palmant Arian	15	30°
Tipyn o Stryd	45	
Pen Llinyn	30	
Rownd y Dref	30	
Pobl Llwm	60	
CYFANSWM		

2 Lluniwch siart cylch i ddangos yr wybodaeth am yr anifeiliaid sydd ar ffarm Defi.

Anifail	Gwartheg	Defaid	Moch	Ieir	Estrysiaid
Nifer	60	180	40	70	10

3 Lluniwch siart bar-llinell i ddangos sut y mae ffarm Meri wedi'i rhannu.

CNWD	Glaswellt	Haidd	Ceirch	Gwenith	Cêl
ERWAU	90	30	30	10	20

4 Dyma ganlyniadau arolwg a wnaed mewn dau ddosbarth yn ysgol Pat.

a) Lluniwch siart bar deuol i ddangos yr wybodaeth hon.

b) Disgrifiwch y gwahaniaethau y medrwch eu gweld.

Nifer y ceir mewn teulu	Nifer y teuluoedd	
	Dosbarth A	Dosbarth B
0	3	1
1	15	10
2	9	13
3	2	5
4 neu fwy	1	1

Byddwch yn siartydd

Mae graffiau a siartiau yn wirioneddol ddefnyddiol, er gall y gwaith ddechrau mynd yn undonog ar ôl gwneud ychydig ohonyn nhw. Ond mae'n well gwneud llawer er mwyn medru gwneud y gwaith yn dda, achos wedyn byddwch yn llai tebygol o anghofio beth i'w wneud.

Deall Graffiau a Siartiau

1 Mae'r siart cylch hwn yn dangos y gyfran o'r pleidleisiau a gafodd pob ymgeisydd mewn etholiad lleol.

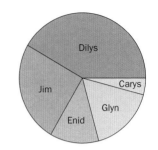

a) Mesurwch a nodwch yr onglau sydd ar y siart cylch.

b) Pa ffracsiwn o'r bobl a bleidleisiodd i Jim?

c) Os pleidleisiodd 180 o bobl i Jim, faint a bleidleisiodd i gyd?

ch) Faint a bleidleisiodd i Dilys?

d) Pwy gafodd y lleiaf o bleidleisiau?

2 Mae'r siartiau cylch sydd ar y dde yn dangos gwybodaeth am y brechdanau y mae Siencyn a Sioned wedi bod yn eu bwyta. Mae Siencyn wedi bwyta 500 brechdan a Sioned wedi bwyta 100 brechdan.

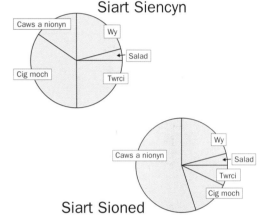

a) Mae Sioned yn meddwl ei bod wedi bwyta mwy o frechdanau caws a nionyn na Siencyn. Eglurwch pam mae Sioned yn anghywir.

b) Mae Siencyn yn casáu brechdanau twrci – er ei fod wedi bwyta nifer go dda ohonynt. Faint y gwnaeth Siencyn eu bwyta?

3 Mae'r siart cylch yn dangos sut y mae cyngor lleol wedi bod yn gwario ei arian.

a) Pa ffracsiwn o'r arian a wariwyd ar addysg?

b) Pa ffracsiwn o'r arian a wariwyd ar dân ac achub?

c) Cyfrifwch sawl gradd sy'n cynrychioli ffyrdd a thrafnidiaeth.

ch) £300 miliwn oedd cyfanswm yr arian. Faint a wariwyd ar bob categori?

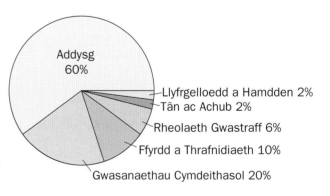

4 Mae'r siart bar yn dangos nifer yr aelodau sydd gan 5 gwahanol glwb mewn ysgol.

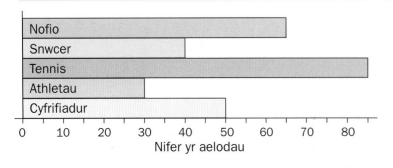

a) Faint o bobl sy'n perthyn i'r clwb athletau?

b) Pa glwb ydy'r un mwyaf poblogaidd?

c) Faint yn fwy o bobl sy'n perthyn i'r clwb nofio nag sy'n perthyn i'r clwb cyfrifiadur?

Adran Chwech – Trin Data

Cymharu Dosraniadau

1   Dyma ystadegau am nifer y geiriau y frawddeg ar gyfer dau lyfr:
llyfr A – cymedr 12.5, amrediad 30;   llyfr B – cymedr 8.2, amrediad 12.

   a)   Pa lyfr, yn eich barn chi, a allai fod y mwyaf addas ar gyfer plant sy'n dysgu darllen?

   b)   A fedrwch fod yn siŵr? Pa wybodaeth arall y gallai fod ei angen arnoch?

2   Dyma siart bar sy'n dangos faint o anifeiliaid sydd gan
ddisgyblion Blwyddyn 7 mewn dwy ysgol wahanol.

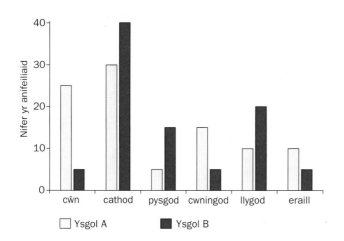

   a)   Disgyblion pa ysgol sydd â'r nifer mwyaf o anifeiliaid?

   b)   Disgyblion pa ysgol sydd â'r nifer mwyaf o gathod?

   c)   Faint yn fwy o gwningod sydd gan ddisgyblion ysgol A nag sydd gan ddisgyblion ysgol B?

3   Dyma ystadegau oedran poblogaeth Treafal: canolrif 34, cymedr 29 ac amrediad 90.
Dyma ystadegau oedran poblogaeth Caergnau: canolrif 45, cymedr 36 ac amrediad 98.

   a)   Yn eich barn chi, ym mha dref y mae'r gyfran fwyaf o deuluoedd ifainc a phlant?

   b)   Yn eich barn chi, ym mha dref y mae'r boblogaeth hynaf?

4   Mae'r siartiau cylch yn dangos faint o lythyrau
a gafodd dau gwmni gwahanol dros gyfnod o wythnos.

Mochdraed Cyf.   Llanast.cym

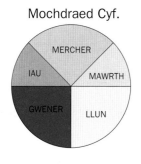 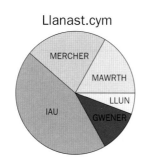

   a)   Ar ba ddiwrnod y mae Mochdraed Cyf. yn cael y nifer mwyaf o lythyrau?

   b)   Ar ba ddiwrnod y mae Llanast.cym yn cael y nifer mwyaf o lythyrau?

   c)   Pa gwmni sy'n cael y gyfran fwyaf o'i lythyrau ar ddydd Gwener?

Mae 'mhen i'n troi wrth wneud yr holl waith ar siartiau cylch

Felly, rhag i mi wneud traed moch o bethau, gadawaf y sylwadau tan y tro nesaf. Tan hynny, hwyl!

Adran Chwech – Trin Data

Mynegi Tebygolrwydd Mewn Geiriau

1   Nodwch pa un o'r geiriau hyn sy'n perthyn i bob brawddeg:
     "sicr", "tebygol", "annhebygol", "amhosibl".

a)   Bydd brontosor yn cerdded heibio safle bws yfory.

b)   Yfory byddwch yn hŷn nag yr ydych heddiw.

c)   Cewch sglodion i'w bwyta yr wythnos hon.

ch) Byddwch yn dysgu Llydaweg yn yr ysgol eleni.

d)   Bydd yn bwrw eira yn anialwch y Sahara heddiw.

dd) Cewch wers Cymraeg yfory.

e)   Bydd eliffant yn dodwy wy.

f)   Byddwch yn teithio mewn car yr wythnos yma.

2   Mae Caron yn chwarae gêm olwyn siawns mewn ffair. Llenwch y bylchau gan ddewis
     o'r geiriau hyn: "yn sicr", "yn fwy tebygol", "yn llai tebygol", "yn annhebygol".

a)   Mae Caron .... o ennill tedi efo'r troelliad cyntaf.

b)   Mae Caron .... o golli ei phres nag o ennill gwobr.

c)   Mae Caron .... o ennill bar siocled nag o ennill tedi.

ch) Mae Caron .... o ennill efo 1 troelliad nag efo
     3 throelliad.

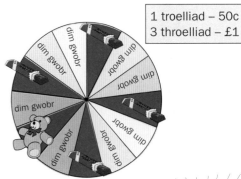

| 1 troelliad – 50c |
| 3 throelliad – £1 |

3   Nodwch ddau ddigwyddiad:

a)   sy'n hollol sicr.

b)   sydd bron yn sicr.

c)   sy'n eithaf tebygol.

ch) sydd â siawns deg o ddigwydd.

d)   sy'n amhosibl.

*Mae glanio ar
unrhyw sector yr
un mor debygol.*

4   Mae gan Siwan ddeg cerdyn sydd wedi'u rhifo 1 i 10. Mae'n cymysgu'r cardiau
     ac yn eu gosod wyneb i lawr. Wedyn mae'n troi'r cardiau drosodd fesul un.

a)   Cerdyn cyntaf Siwan ydy "2". A ydy'r cerdyn nesaf yn debygol o fod yn uwch
     neu'n is? Eglurwch pam.

b)   Fel y mae'n digwydd, yr ail gerdyn ydy "1". Pa mor debygol ydy'r cerdyn
     nesaf o fod yn is? Eglurwch eich ateb.

Cael hwyl mewn gwers fathemateg – amhosibl

Yn aml, mae cwestiynau tebygolrwydd yn trafod beth ydych yn ei feddwl. Cymerwch gwestiwn 1c:
mae'n rhaid i chi ddyfalu pa mor debygol y byddwch yn bwyta sglodion yr wythnos hon. I'r rhai sy'n
bwyta bwyd afiach, mae'n debygol y bydd yr ateb yn "sicr".

Problemau Tebygolrwydd Damcaniaethol

1   Nodwch leoliad bob un o'r digwyddiadau ar y raddfa debygolrwydd hon.

0   1

a)   Bydd y lleuad yn ffrwydro heno.

b)   Mai 1 fydd y diwrnod ar ôl Ebrill 30.

c)   Bydd darn arian yn glanio i ddangos "pen".

ch) Cewch bump wrth rolio dis cyffredin chwe ochr.

d)   Cewch gerdyn "calon" wrth dorri pac o gardiau chwarae (heb yr un jocer).

dd) **Ni** fydd mis wedi'i ddewis ar hap yn dechrau â'r llythyren M.

2   Mae Marged yn rholio dis arbennig.

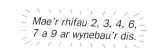

Mae'r rhifau 2, 3, 4, 6, 7 a 9 ar wynebau'r dis.

a)   Faint ydy'r tebygolrwydd o gael rhif cysefin?

b)   Faint ydy'r tebygolrwydd o gael lluosrif 3?

c)   Faint ydy'r tebygolrwydd o gael ffactor 12?

ch) Faint ydy'r tebygolrwydd o gael odrif?

d)   Faint ydy'r tebygolrwydd o gael rhif mwy na 6?

dd) Faint ydy'r tebygolrwydd o gael 1?

3   Petai gennych lythrennau'r gair TRAWSNEWIDIAD, faint fyddai'r tebygolrwydd o ddewis:

a)   T?

b)   D?

c)   P?

ch) llafariad?

4   Mae gan Tirion 10 cerdyn, wedi'u rhifo 1 i 10, wyneb i lawr ar y bwrdd. Mae'n troi un cerdyn drosodd i weld beth ydyw. Wedi edrych, mae'n troi'r cerdyn yn ei ôl ac yn cymysgu'r cardiau.

a)   Faint ydy'r tebygolrwydd o gael eilrif?

b)   Faint ydy'r tebygolrwydd o gael 2?

c)   Faint ydy'r tebygolrwydd o gael 10?

ch) Faint ydy'r tebygolrwydd o gael lluosrif 4?

d)   Faint ydy'r tebygolrwydd o gael 12?

dd) Faint ydy'r tebygolrwydd o gael lluosrif 3?

Arbrofion Tebygolrwydd

1   Mae Elfed a Rhian yn taflu darn arian. Mae pob un yn ei dro yn ei daflu 10 gwaith.

   a)   Mae Rhian yn cael 7 "cynffon" a 3 "phen" ac yn dweud bod y darn arian yn un tueddol.
        A ydy Rhian yn gywir?

   b)   Mae Elfed yn taflu'r darn arian 10 gwaith ac yn cael 6 "chynffon" a 4 "pen".
        A ydy'r darn arian yn dueddol?

   c)   Mae'r ddau yn parhau i daflu ac mae'r canlyniadau yn y tabl cyntaf.
        A ydy'r darn arian yn wir yn dueddol? Eglurwch eich ateb.

   ch) Mae Heulwen a Robin yn gwneud yr un arbrawf, ond yn defnyddio darn arian gwahanol.
        A ydy'n bosibl bod y darn arian yn dueddol? A fedrwch fod yn sicr?

Elfed a Rhian	Nifer y pennau	Nifer y cynffonau
ar ôl 10 tafliad	3	7
ar ôl 20 tafliad	7	13
ar ôl 50 tafliad	24	26
ar ôl 100 tafliad	51	49

Heulwen a Robin	Nifer y pennau	Nifer y cynffonau
ar ôl 10 tafliad	3	7
ar ôl 20 tafliad	7	13
ar ôl 50 tafliad	16	34
ar ôl 100 tafliad	31	69

2   Dewiswch baragraff mewn llyfr neu bapur newydd er mwyn cyfrif y llafariaid.
    Gwnewch dabl fel hwn.

	a	e	i	o	u	w	y
Marciau cyfrif							
Amlder							

   a)   Pa lafariad ydy'r fwyaf cyffredin yn eich sampl?

   b)   Pa un sy'n ymddangos y lleiaf aml?

   c)   Yn ôl rhai, y llythyren "a" ydy'r llafariad fwyaf cyffredin yn Gymraeg.
        A ydy eich data yn cadarnhau hyn?

   ch) Os nad ydyw, beth y medrwch ei wneud i ymchwilio ymhellach?

   d)   Chwiliwch am ddarn mewn iaith arall i weld pa un ydy'r llafariad fwyaf cyffredin
        yn yr iaith honno.

Tebygolrwydd o fwynhau gwaith cartref = 0

Yn sylfaenol, po fwyaf y canlyniadau y gorau. Os cewch ddau "ben" ac un "cynffon" wrth daflu deirgwaith, does fawr y gallwch ei ddweud. Ond, os cewch 200 "pen" a 100 "cynffon", yna rydych yn gwybod bod y darn arian yn un amheus.

Arbrofion ynteu Damcaniaeth wrth drafod Tebygolrwydd

1   Mae gan Ffred ddarn arian teg a dis teg.

   a)   Mae Ffred yn taflu'r darn arian 10 gwaith. Sawl "pen" y bydd yn disgwyl ei gael?

   b)   Mae Ffred yn taflu'r darn arian 100 gwaith. Sawl "pen" y bydd yn disgwyl ei gael?

   c)   Mae Ffred yn taflu'r darn arian 500 gwaith. Sawl "pen" y bydd yn disgwyl ei gael?

   ch) Mae Ffred yn taflu'r dis 6 gwaith.
       Sawl "3" y bydd yn disgwyl ei gael?

   d)   Mae Ffred yn taflu'r dis 60 gwaith.
       Sawl "3" y bydd yn disgwyl ei gael?

   dd) Mae Ffred yn taflu'r dis 300 gwaith.
       Sawl "3" y bydd yn disgwyl ei gael?

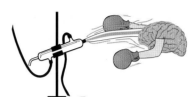

2   Mae Elinor yn defnyddio'r troellwr hwn.

   a)   Faint ydy'r tebygolrwydd y bydd y troellwr yn glanio ar goch.

   b)   Os bydd Elinor yn troelli 10 gwaith
       sawl gwyn y dylai ei ddisgwyl?

   c)   Os bydd Elinor yn troelli 100 gwaith
       sawl glas y dylai ei ddisgwyl?

   ch) Os bydd Elinor yn troelli 500 gwaith sawl melyn y dylai ei ddisgwyl?

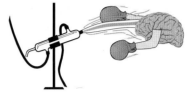

3   Mae Angharad yn taflu hen ddarn arian tramor sydd â thuedd.
   0.8 ydy'r tebygolrwydd y bydd tu blaen y darn arian yn ymddangos.

   a)   Faint ydy'r tebygolrwydd y bydd tu chwith y darn arian yn ymddangos?

   b)   Os ydy Angharad yn taflu'r darn arian 200 gwaith sawl tro y gall ddisgwyl
       i du blaen y darn arian ymddangos?

   c)   Os ydy Angharad yn taflu'r darn arian 800 gwaith sawl tro y gall ddisgwyl
       i du chwith y darn arian ymddangos?

4   Defnyddiwch y botwm rhifau hap ar eich cyfrifiannell
   i gynhyrchu 10 rhif. Bob tro, nodwch yr ail ddigid,
   sef yr un sydd ar ôl y pwynt degol.

   a)   Copïwch a llenwch y tabl.

   b)   Disgrifiwch yr amlderau.

   c)   Gwnewch yr un peth ar gyfer 20 rhif, ac yna 50 rhif.

   Sut mae'r amlderau yn newid (ar wahân i fynd yn fwy)?

Ail ddigid	Marciau cyfrif	Amlder
0		
1		
2		
3		
4		
5		
6		
7		
8		
9		

Yn ddamcaniaethol, mae'n debygol y bydd hyn yn eithaf diddorol

Dyma ddiwedd y cwestiynau, sy'n golygu dim mwy o waith i chi – nes i chi ddechrau ar lyfr arall.
Meddyliwch am y peth: ychwaneg o waith a'r gwaith hwnnw yn galetach. Gwych.

Atebion

Adran Un – Rhifau a'r System Rifau

Tudalen 1

1 a) 9741 (naw mil saith gant pedwar deg un) 1479 (un fil pedwar cant saith deg naw)
   b) 974.1 (naw cant saith deg pedwar pwynt un) 1.479 (un pwynt pedwar saith naw)
   c) 9430 (naw mil pedwar cant tri deg) 0349 (tri chant pedwar deg naw)
   ch) 943.0 (naw cant pedwar deg tri pwynt dim) 0.349 (dim pwynt tri pedwar naw)
   d) 87321 (wyth deg saith mil tri chant dau ddeg un) 12378 (deuddeng mil tri chant saith deg wyth)
   dd) 97321 (naw deg saith mil tri chant dau ddeg un) 12379 (deuddeng mil tri chant saith deg naw)

2 a) 8 uned (8)
   b) 8 deg (80)
   c) 8 degfed *neu* 8/10 (0.8)
   ch) 8 canfed *neu* 8/100 (0.08)
   d) 8 deng mil (80 000)
   dd) 8 milfed *neu* 8/1000 (0.008)
   e) 8 cant *neu* 8 gant (800)
   f) 8 can mil (800 000)
   ff) 8 mil (8 000)

3 a) £6.90
   b) £2.02
   c) £1.54
   ch) £2.37

4 a) 1.6, 1.7, 1.8, 1.9
   b) 6.18, 6.19, 6.20, 6.21
   c) 9.0, 8.9, 8.8, 8.7
   ch) 0.52, 0.51, 0.50, 0.49

5 a) 340
   b) 3.4
   c) 0.27
   ch) 3.4
   d) 27
   dd) 340
   Mae'r un ateb gan rannau (a) ac (dd), a rhannau (b) ac (ch).

6 a) 0.01
   b) 0.01
   c) 0.01
   ch) 100

Tudalen 2

1 a) 1.3, 1.5, 1.54, 1.62, 1.71, 1.89, 1.98
   b) 100.3, 100.4, 100.43, 101.2, 101.6, 102.8, 102.89
   c) –10, –3, –1, 0, 2, 4, 5
   ch) 7.09, 7.13, 7.18, 7.21, 7.36, 7.4, 7.41

2 a) 4.1 cm, 4.0 cm, 3.9 cm, 3.1 cm, 2.3 cm, 2.0 cm, 0.9 cm
   b) 79.1 km, 78.7 km, 76.1 km, 75.2 km, 74.9 km, 74.3 km, 74.1 km
   c) 0.220 m, 0.219 m, 0.102 m, 0.021 m, 0.020 m, 0.012 m, 0.009 m
   ch) 41.10 g, 41.06 g, 40.93 g, 40.81 g, 40.73 g, 40.70 g, 40.07 g

3 a) >
   b) <
   c) <
   ch) =
   d) >
   dd) >

4 Mae llawer o atebion yn bosibl.
   a) e.e. 3.3
   b) e.e. 10.5
   c) e.e. 6.31
   ch) e.e. 3.75
   d) e.e. 9.219
   dd) e.e. 0.545

5 a) 0.015
   b) 4.35
   c) 101.75
   ch) 0.05
   d) 3.25
   dd) –3.15

6 a) 8, 9, 10, 11
   b) 103, 104, 105, 106, 107
   c) 224, 225, 226, 227, 228
   ch) 24, 25, 26, 27, 28

Tudalen 3

1 a) 10°C
   b) 14°C
   c) 31°C
   ch) 8°C
   d) 6°C

2 a) llawr 4
   b) llawr 6
   c) llawr 0 (llawr isaf)
   ch) llawr –1 (seler)

3 a) Mae arno 50c
   b) Mae arno £4.75
   c) Mae ganddo £1.50

4 4210 m

5 Unrhyw dri ateb lle mae oed Siôn 3 blynedd yn fwy nag oed Harri, e.e. Siôn 7 oed a Harri 4 oed, Siôn 12 oed a Harri 9 oed, ac ati.

6

–5	2	–6
–4	–3	–2
0	–8	–1

–5	3	–4
–1	–2	–3
0	–7	1

–7	4	0
6	–1	–8
–2	–6	5

Tudalen 4

1 a) (i) 6.13
      (ii) 6.1
      (iii) 6
   b) (i) 5.91
      (ii) 5.9
      (iii) 6
   c) (i) 0.06
      (ii) 0.1
      (iii) 0
   ch) (i) 11.96
      (ii) 12.0
      (iii) 12
   d) (i) 0.48
      (ii) 0.5
      (iii) 0
   dd) (i) 1.20
      (ii) 1.2
      (iii) 1

2 a) 30.07
   b) 3816
   c) 83.5
   ch) 39.78
   d) 6.4
   dd) 0.054

3 60 kg × 3 = 180 kg

4 a) (i) 2 becyn
      (ii) 8 potel
      (iii) 7 pecyn
      (iv) 3 phecyn
   b) 5 bagaid o greision, 5 gwydraid o gola (*neu* 1/2 llond potel), 3 rhôl sosej, 2 far siocled

5 58 ≤ nifer y teils ≤ 64 (Ni fydd arnoch angen llefydd gwag yn y carped.)

Tudalen 5

1 $3^2 = 9$, $1^3 = 1$, $64 = 4^3$, $0 = 0^3$
   $\sqrt{100} = 10$, $8 = 2^3$, $7 = \sqrt{49}$, $36 = 6^2$

2 b) 3 a 4
   c) 2 a 3

3 a) 169
   b) 17
   c) 0.008
   ch) 6.859
   d) 1.69
   dd) 3.2
   e) 39601
   f) 7.7

4 1, 4, 9, 16, 25, 36, 49, 64, 81, 100, 121, 144, 169
   9 + 16 = 25
   36 + 64 = 100
   25 + 144 = 169
   (81 + 144 = 225)

5 a)

   b) (i) 3, (ii) 5, (iii) 25
   c) Maent bob amser yn adio i roi rhif sgwâr.

Atebion

Tudalen 6

1   2, 3, 5, 7, 11, 13, 17, 19, 23, 29

2   a)   1, 2, 5, 10
    b)   1, 2, 4, 7, 14, 28
    c)   1, 7
    ch)   1, 2, 3, 4, 6, 8, 12, 16, 24, 48
    d)   1, 2, 3, 4, 6, 8, 9, 12, 18, 24, 36, 72
    dd)   1, 5, 25
    e)   1, 2, 5, 7, 10, 14, 35, 70
    f)   1, 2, 3, 6, 7, 14, 21, 42
    ff)   1, 2, 3, 4, 5, 6, 9, 10, 12, 15, 18,
          20, 30, 36, 45, 60, 90, 180

3   a)   5
    b)   14
    c)   4
    ch)   36

4   a)   24
    b)   24
    c)   18
    ch)   72

5

1	2	3	4	5	6	7	8	9	10
11	12	13	14	15	16	17	18	19	20
21	22	23	24	25	26	27	28	29	30
31	32	33	34	35	36	37	38	39	40
41	42	43	44	45	46	47	48	49	50
51	52	53	54	55	56	57	58	59	60
61	62	63	64	65	66	67	68	69	70
71	72	73	74	75	76	77	78	79	80
81	82	83	84	85	86	87	88	89	90
91	92	93	94	95	96	97	98	99	100

6   a)   7
    b)   12
    c)   80
    ch)   9
    d)   2
    dd)   4

7

✕	6	3
2	12	6
11	66	33

neu

✕	2	1
6	12	6
33	66	33

✕	8	36
3	24	108
4	32	144

neu

✕	4	18
6	24	108
8	32	144

neu

✕	2	9
12	24	108
16	32	144

Tudalen 7

1   a) 3^4
    b) 4^5
    c) 10^7
    ch) 25^2

2   a) 2^3
    b) 3^3
    c) 4^2
    ch) 2^4
    d) 10^3
    dd) 5^3

3   a) $2 \times 2 \times 3$
    b) $2 \times 2 \times 3 \times 3$
    c) $2 \times 3 \times 7$
    ch) $3 \times 5 \times 5$
    d) $2 \times 3 \times 3 \times 7$
    dd) $2 \times 2 \times 11$
    e) $2 \times 3 \times 3 \times 3$
    f) $2 \times 2 \times 5 \times 5$

4   a) $2^2 \times 3$
    b) $2^2 \times 3^2$
    c) $2 \times 3 \times 7$
    ch) 3×5^2
    d) $2 \times 3^2 \times 7$
    dd) $2^2 \times 11$
    e) 2×3^3
    f) $2^2 \times 5^2$

5   $10^2 = 100$
    $10^3 = 1000$
    $1000000 = 10^6$
    $10^1 = 10$
    $100000 = 10^5$

6   10^3

7   10^5

Tudalen 8

1   a) $1/2 = 3/6 = 6/12 = 2/4 = 20/40$
       $= 50/100 = 250/500$
    b) $1/3 = 4/12 = 3/9 = 30/90 = 7/21$
       $= 10/30 = 300/900$
    c) $1/5 = 2/10 = 20/100 = 4/20$
       $= 7/35 = 40/200 = 100/500$
    ch) $3/7 = 6/14 = 9/21 = 21/49$
       $= 12/28 = 60/140 = 150/350$

2   a)   1/3
    b)   1/4
    c)   4/5
    ch)   4/9
    d)   3/7
    dd)   1/10

3   a)   2½
    b)   3½
    c)   2⅐
    ch)   2½
    d)   2¼
    dd)   3⅗

4   a)   5/2
    b)   5/4
    c)   16/5
    ch)   16/7
    d)   53/10
    dd)   35/8

5   a)

    b)

    c)

    ch)

    d)

    dd)

6   Ann 12, Beti 5, Ceri 3

7   3/4 gan fod 3/4 = 6/8 sy'n fwy na 5/8

Tudalen 9

1   a)   0.5
    b)   0.25
    c)   0.125
    ch)   0.0625
    d)   0.75
    dd)   0.375
    e)   0.1
    f)   0.3
    ff)   0.15

2   a)   0.5
    b)   0.25
    c)   0.2
    ch)   0.4
    d)   0.15
    dd)   0.12
    e)   0.14
    f)   0.78
    ff)   0.52

3   a)   50%
    b)   25%
    c)   75%
    ch)   30%
    d)   15%
    dd)   80%
    e)   12%
    f)   28%

4   a)   0.1 = 1/10
    b)   0.2 = 1/5
    c)   0.25 = 1/4
    ch)   0.3 = 3/10
    d)   0.7 = 7/10
    dd)   0.8 = 4/5
    e)   1.5 = 1½ neu 3/2
    f)   2.25 = 2¼ neu 9/4

Atebion

5 a) 0.125
  b) 0.188 (i 3 ll.d.)
  c) 0.143 (i 3 ll.d.)
  ch) 0.273 (i 3 ll.d.)
  d) 0.145
  dd) 0.115
  e) 0.333 (i 3 ll.d.)
  f) 0.667 (i 3 ll.d.)

6 1/9 = 0.1111111, 2/9 = 0.2222222 ac felly ymlaen
  Mae'r rhif sydd yn rhan uchaf y ffracsiwn yn cael ei ailadrodd bob tro, h.y. byddai 5/9 yn 0.5555555

Tudalen 10

1 a) 1/4, 3/8, 1/2, 5/8, 3/4
  b) 1/16, 3/16, 3/8, 5/8, 3/4, 15/16
  c) 1/6, 1/3, 1/2, 2/3, 5/6, 1
  ch) 1/2, 2/3, 3/4, 4/5, 5/6
  d) 1/100, 1/50, 7/100, 3/25, 3/10
  dd) 19/25, 77/100, 39/50, 23/25

2 Mae llawer o atebion yn bosibl.
  a) e.e. 3/8
  b) e.e. 1/6
  c) e.e. 9/10
  ch) e.e. 1/2
  d) e.e. 11/16
  dd) e.e. 9/20
  e) e.e. 9/100
  f) e.e. 3/4

3 a) 7/10   50%   0.4
  b) 80%   0.7   3/5
  c) 9/20   35%   0.33
  ch) 99%   0.91   9/10
  d) 0.11   10%   1/11
  dd) 1/3   33%   0.04
  e) 4/10   0.39   4%
  f) 53.5%   0.531   13/25

4 1/4 = 4/16 = 25%
  22/40 = 11/20 = 55%
  1/5 × 200 = 160/4 = 40
  1/16 × 8 = 50% = 8 ÷ 16

5 a) £2250
  b) £2250

6 3/16

Tudalen 11

1 a) 1/4
  b) 1/8
  c) 1/4
  ch) 1/4
  d) 1/2
  dd) 1/4

2 a) 1/3
  b) 1/6
  c) 1/8
  ch) 1/8
  d) 1/5

3 Mae llawer o atebion yn bosibl.

4 a) 2 m
  b) 34 kg
  c) £4
  ch) 1/2
  d) 3.2
  dd) £3

Tudalen 12

1 10% o 50 = 1/5 o 25
  50% o 8 = 32 ÷ 8
  40% o 200 = 0.2 × 400
  810 ÷ 9 = 450 × 1/5
  1/3 o 57 = 0.25 × 76
  16 × 1/8 = 1% o 200
  72 × 1/6 = 10% o 120

2 a) 200
  b) 50
  c) 25
  ch) 6
  d) 5
  dd) 9
  e) 8
  f) 36

3 a) £3.40
  b) 50c
  c) 5c
  ch) 75c
  d) 60 cm
  dd) 6 mm
  e) 500 m
  f) 50 m

4 a) £6.50
  b) 9.03 m **neu** 9.0 m **neu** 9 m
  c) £44.44
  ch) 20.25 kg **neu** 20.3 kg **neu** 20 kg
  d) £28.22
  dd) 620 g **neu** 600 g
  e) £42.94
  f) 491.4 g **neu** 491 g **neu** 490 g

5 25% o rif ei dŷ (28) ydy 7.
  3 gwaith nifer y ceir (3) ydy 9.
  Dylai ddewis teirgwaith nifer y ceir.

Tudalen 13

1 a) (i) 1/4, 3/4
    (ii) 0.25, 0.75
    (iii) 25%, 75%
    (iv) 3:1
  b) (i) 1/3, 2/3
    (ii) 0.333, 0.667
    (iii) 33.3% **neu** 33⅓%
       66.7% **neu** 66⅔%
    (iv) 2:1
  c) (i) 1/2, 1/2
    (ii) 0.5, 0.5
    (iii) 50%, 50%
    (iv) 1:1
  ch) (i) 1/4, 3/4
    (ii) 0.25, 0.75
    (iii) 25%, 75%
    (iv) 3:1
  d) (i) 3/10, 7/10
    (ii) 0.3, 0.7
    (iii) 30%, 70%
    (iv) 7:3
  dd) (i) 3/5, 2/5
    (ii) 0.6, 0.4
    (iii) 60%, 40%
    (iv) 2:3
  e) (i) 1/5, 4/5
    (ii) 0.2, 0.8
    (iii) 20%, 80%
    (iv) 4:1

2 18

3 2

4 15

5 60 oren, 20 mango, 40 eirinen

6 a) 12
  b) 6
  c) 24 brechdan. Bydd 1 ŵy dros ben.

Tudalen 14

1 a) 1:2
  b) 1:3
  c) 2:3
  ch) 1:2
  d) 1:4
  dd) 8:1
  e) 3:1
  f) 1:5

2 a) £4, £4
  b) £2, £4
  c) £3, £9
  ch) £20, £4
  d) £80, £20
  dd) £25, £75
  e) £1, 50c
  f) £3, £21

3 a) 400
  b) 500
  c) 40

4 a) 7:6
  b) 27
  c) 3:4, 1:1 ar ôl i Gordon gyrraedd
  ch) bechgyn : merched = 11:5,
     merched : bechgyn = 5:11

5 a) 1:1
  b) 1:2
  c) 1:4

Adran Dau – Cyfrifo

Tudalen 15

1 a) 144
  b) 270
  c) 817
  ch) 2277
  d) 3567
  dd) 356.7

2 a) = (ch)
  b) = (dd)
  c) = (d)

3 a) 220
  b) 98
  c) 350
  ch) 320
  d) 5
  dd) 30

4 a) 14 ac e.e. 14 × 8 = 112
  b) 15 ac e.e. 14 × 15 = 210
  c) 18 ac e.e. 18 × 21 = 378
  ch) 51 ac e.e. 51 × 21 = 1071
  d) 12 ac e.e. 12 × 17 = 204
  dd) 160 ac e.e. 160 × 15 = 2400

5 a) (i) 6 g 1
    (ii) 6¼
    (iii) 6.25

Atebion

b) (i) 5 g 3
   (ii) 5¼
   (iii) 5.25
c) (i) 11 g 3
   (ii) 11⅜
   (iii) 11.375
ch) (i) 10 g 4
   (ii) 10¹⁄₁₀
   (iii) 10.1
d) (i) 15 g 1
   (ii) 15⅙
   (iii) 15.17
dd) (i) 22 g 1
   (ii) 22⅓
   (iii) 22.33

6 Mae gan 1, 3 a 4 yr un gwerth.
   (¼ × 12.8 = 25.6 × ⅛ = 19.2 ÷ 6 = 3.2)

7 104 (626/6 = 104 gweddill 2)

Tudalen 16

1 a) 22
   b) 42
   c) 10
   ch) 35
   d) 30
   dd) 36
   e) 21
   f) 23.25
   ff) 0.75 **neu** ¾

2 a) 5 (3 ar ôl)
   b) 4 (1 ar ôl)
   c) 3 (3 ar ôl)
   ch) 3 (6 ar ôl)

3 a) 12 a 4 ar ôl
   b) 18 a 4 ar ôl
   c) 14 ac 8 ar ôl
   ch) 7 ac 8 ar ôl

4 a) 15
   b) 9
   c) 6
   ch) 6

5 a) 13
   b) 9
   c) 10
   ch) 10
   d) 11 (60 − 2 = 58, 632 ÷ 58 = 10.9)

6 a) £14 396.33 **neu** £14 396
   b) 220.9 kg **neu** 221 kg
   c) 0.01 m **neu** 1 cm
   ch) 5/8 **neu** 0.625
   d) 10 yr un a 38 o felysion ar ôl
   dd) 20 munud **neu** 1/3 awr **neu** 0.33 awr
      (i 2 l.d.)

Tudalen 17

1 a) 54
   b) 29
   c) 33
   ch) 0.3
   d) 0.6
   dd) 0.18
   e) 8.7
   f) 2.3
   ff) 5.5

2 a) 1280
   b) 87.2
   c) 620
   ch) 167.3
   d) 4700
   dd) 1160
   e) 24445
   f) 1180
   ff) 1972

3 a) 9
   b) 6
   c) 10
   ch) 25
   d) 8
   dd) 4
   e) 20
   f) 21

4 a) 100, 1, 0.01
   b) 9, 900, 0.09
   c) 81, 0.81, 8100
   ch) 6, 0.6, 60
   d) 0.4
   dd) 0.8
   e) 27
   f) 125
   ff) 2

5

Ffracsiwn	1/2	1/4	1/5	1/10	3/20	$1\frac{1}{4}$	$1\frac{3}{4}$	1/8	$\frac{1}{100}$	$2\frac{1}{10}$
Degolyn	0.5	0.25	0.2	0.1	0.15	1.25	1.75	0.125	0.01	2.1
Canran	50%	25%	20%	10%	15%	125%	175%	12.5%	1%	210%

6 a) 2 awr = 120 munud = 7200 eiliad
   b) 1 wythnos = 7 diwrnod (**neu** 7 niwrnod)
      = 168 awr
   c) 3 km = 3000 m = 300 000 cm
   ch) 5.5 m = 550 cm = 5500 mm
   d) Mae 5 milltir tua 8 km.
   dd) 2.5 kg = 2500 g
   e) Mae 1 kg tua 2.2 lb. **neu** Mae 1 kg
      tua 2 lb.
   f) Mae 1 galwyn tua 4.5 litr.

Tudalen 18

1 a) 31
   b) 61
   c) 83
   ch) 102
   d) 93
   dd) 72
   e) 152
   f) 38
   ff) 35

2 a) 11.9
   b) 10.4
   c) 3.9
   ch) 7.1
   d) 13.6
   dd) 9.38
   e) 0.44
   f) 1.98
   ff) 0.04

3 a) 6
   b) −9
   c) 10
   ch) 5
   d) 0
   dd) 0
   e) −300
   f) −1000

4 a) 3
   b) 2
   c) 0.2
   ch) 0.02
   d) 0.03
   dd) 0.02

5 10

6 74

7 11.5 m

Tudalen 19

1 a) 11
   b) 11
   c) 235
   ch) 1482
   d) 50
   dd) 3650
   e) 1.16
   f) 0.166

2 a) 97
   b) 7.4
   c) 6.3
   ch) 525
   d) 754
   dd) 1.54
   e) 3488
   f) 0.2134

3 a) 18.3
   b) 149
   c) 0.35
   ch) 1871
   d) 8645
   dd) 0.073
   e) 0.36
   f) 9.9

4 a) 58
   b) 19.8
   c) 0.083
   ch) 6.43
   d) 11.87
   dd) 0.0141
   e) 84.1
   f) 8.3

5 Byrgyr, sglodion a chacen siocled **neu**
   byrgyr, sglodion a diod oren **neu**
   byrgyr, cacen siocled a diod oren **neu**
   sglodion, cacen siocled a diod oren.

6 Llond bag o daffis, 2 far siocled;
   42c o newid
   neu llond bag o daffis, hufen iâ;
   42c o newid
   neu llond bag o daffis, cola;
   41c o newid.

Atebion

Tudalen 20

1. a) 28 000
   b) 2350
   c) 310 000
   ch) 23.5
   d) 68
   dd) 0.11
   e) 1.72
   f) 0.144

2. a) 27.6
   b) 137.6
   c) 717.1
   ch) 183.6
   d) 1560
   dd) 82 410
   e) 2277
   f) 7920

3. a) 270
   b) 700
   c) 3200
   ch) 700
   d) 47 000
   dd) 72 000
   e) 76
   f) 3.2

4. a) 938.6
   b) 0.17
   c) 64.6
   ch) 1626.9
   d) 3.8
   dd) 6.12
   e) 29
   f) 3.4

5. 0.3125 m = 31.25 cm = 312.5 mm
   neu 0.313 m = 31.3 cm = 313 mm (i'r mm agosaf)
   neu 0.31 m = 31 cm = 310 mm (i'r cm agosaf)

Tudalen 21

1. a) 0.8
   b) 0.7
   c) 1.25
   ch) 0.375
   d) 0.56
   dd) 3/25
   e) 0.48
   f) 0.17

2.

	a)	b)	c)	ch)	d)	dd)	e)	f)
Degolyn	0.27	0.15	0.45	0.73	1.2	0.05	0.8	1.7
Ffracsiwn	27/100	3/20 neu 15/100	9/20 neu 45/100	73/100	1⅕ neu 6/5 neu 120/100	1/20	4/5 neu 80/100	170/100
Canran	27%	15%	45%	73%	120%	5%	80%	170%

3. a) 21
   b) 62
   c) 4
   ch) 33
   d) 12
   dd) 25
   e) 32
   f) 150

4. Farzana £1.80, Ahmed £2.40, Tariq 72c, Mehdi £2.28

Tudalen 22 (first block, top of column 2)

5. 2 1/5 = 22/10 = 2 2/10
   4/7 = 8/14 = 20/35
   4/100 = 2/50 = 1/25
   34/10 = 17/5 = 3 2/5
   3/5 = 60/100 = 24/40
   5 1/5 = 26/5 = 52/10
   3/20 = 9/60 = 27/180
   2/3 = 40/60 = 30/45

Tudalen 22

1. a) £10.40
   b) £9.80
   c) £18.20
   ch) £18.75
   d) £13.50
   dd) £21.20

2. a) £6.30
   b) £5.60
   c) £16
   ch) £5.46
   d) £1.47
   dd) £8.97

3. a) (7 + 6) − 4 = 9
   b) (7 × 6) + 4 = 46
   c) 7 × (6 + 4) = 70
   ch) (7 + 6) × 4 = 52
   d) (7 − 4) × 6 = 18
   dd) 7 × 6 × 4 = 168
   e) 7 − 6 − 4 = −3
   f) 7 × 6 ÷ 4 = 10.5

4. a) e.e.

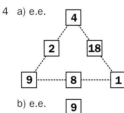

   b) e.e.

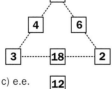

   c) e.e.

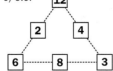

Tudalen 23

1. a) 1613
   b) 5005
   c) 78
   ch) 1038
   d) 7271
   dd) 7279
   e) 1890
   f) 10 440

2. a) 14 742
   b) 4572
   c) 7856
   ch) 7614
   d) 13 373
   dd) 30 492
   e) 47 268
   f) 10 989

3. a) 41.82
   b) 241.06
   c) 9.912
   ch) 10.802
   d) 1.4212
   dd) 77.38
   e) 71.427
   f) 62.46

4. a) (i) £33.72
      (ii) £29.21
      (iii) £42.51
      (iv) £238.70
      (v) £78.40
      (vi) £30.87
      (vii) £31.96
   b) £485.37

Tudalen 24

1. a) £5.65
   b) £25.40
   c) £31.58
   ch) £19.25
   d) £56.40
   dd) £34.60
   e) £83.50
   f) £41.25

2. a) 23
   b) 17
   c) 21
   ch) 49
   d) 33
   dd) 51
   e) 29
   f) 42

3. a) 56 g 1
   b) 23 g 3
   c) 31 g 11
   ch) 19 g 6
   d) 11 g 20
   dd) 3 g 12
   e) 13 g 2
   f) 12 g 6

4. a) 20.7
   b) 22.9
   c) 24.7
   ch) 31.3
   d) 37.8
   dd) 9.1
   e) 5.9
   f) 27.8

5. a) 7 bws
   b) 9 bws bach
   c) 13 awyren

Atebion

Tudalen 25

1. a) £42.38
   b) £237.15
   c) £4.05
   ch) £61.08
   d) £66.67
   dd) 90c
   e) 53c
   f) £333.33

2. a) (i) 34.5 awr
      (ii) 34 awr 30 munud
   b) (i) 23.5 awr
      (ii) 23 awr 30 munud
   c) (i) 12.5 awr
      (ii) 12 awr 30 munud
   ch) (i) 6.25 awr
      (ii) 6 awr 15 munud
   d) (i) 7.25 awr
      (ii) 7 awr 15 munud
   dd) (i) 8.4 awr
      (ii) 8 awr 24 munud
   e) (i) 1 1/3 awr *neu* 1.33 awr
      (ii) 1 awr 20 munud
   f) (i) 1.5 awr
      (ii) 1 awr 30 munud

3. a) 6/7
   b) 2/3
   c) 1/5
   ch) 3/5
   d) 1 1/4
   dd) 1 1/2
   e) 2 1/4
   f) 1 2/9

4. a) 1 3/14
   b) 7/55
   c) 2/7
   ch) 2 4/7
   d) 2 1/6
   dd) 2 27/32
   e) 25 1/5
   f) 8 1/24

5. a) £25.33
   b) £9.50
   c) £12.67

Tudalen 26

1. a) 441
   b) 1806.25
   c) 0.1681
   ch) 16
   d) 27
   dd) 0.01
   e) 25
   f) 85

2. a) −37.5
   b) −191.7
   c) −12
   ch) −10.4
   d) 11.48
   dd) 4.3

3. Mae amryw o atebion yn bosibl ar gyfer y botymau.
   a) 23
   b) 17
   c) 6
   ch) 4
   d) 2½ *neu* 2.5
   dd) 2

4. a) 89.6
   b) 75.6
   c) 15.5
   ch) 53.94
   d) 20
   dd) 108.92
   e) 16.25
   f) 58.656

5. a) 0.$\dot{1}$
   b) 0.$\dot{2}$
   c) 0.$\dot{3}$
   ch) 0.$\dot{4}$
   Mae'r ateb bob tro yn 0.$\dot{n}$, lle mae *n* yn dynodi'r rhif sydd yn rhan uchaf y ffracsiwn *n*/9 (y rhifiadur).

Tudalen 27

1. a) cywir
   b) anghywir 35.7
   c) anghywir −20.61
   ch) cywir
   d) anghywir 145
   dd) cywir
   e) anghywir 1.5
   f) cywir

2. a) cywir
   b) anghywir £2.06
   c) anghywir £12.68
   ch) anghywir £109.01
   d) anghywir 1 awr 30 munud *neu* 1.5 awr
   dd) cywir
   e) anghywir 1.38 km
   f) anghywir 5220 g

3. a) 16
   b) 69
   c) 3.1
   ch) 666
   d) 622
   dd) 2.5
   e) 81
   f) 3

4. a) cywir
   b) cywir
   c) anghywir 3721
   ch) cywir
   d) anghywir 0.0125
   dd) anghywir 1 17/24
   e) cywir
   f) anghywir 26.42

Adran Tri – Datrys Problemau

Tudalen 28

1. a) £61.20
   b) £47.10
   c) £182.00

2. a) 4 am £12.99 yr un (£51.96 i gyd)
   b) 40 am £9.00 (22.5c yr un)
   c) 5 am £8.50 (£1.70 yr un)
   ch) 10 am £3.99 (39.9c yr un)
   d) 3 am £3.99 (£1.33 yr un)

3. a) £1500
   b) 10%
   c) 83 1/3 % *neu* 83.3% i 1 ll.d.
   ch) "5% oddi ar gyfanswm eich bil"
       Byddai'n arbed £5

4. a) 20 cm × 32 cm
   b) 10 cm × 16 cm
   c) 160 cm²

5. 115 cm *neu* 1.15 m

Tudalen 29

1. a) fferins £6, mynd allan £6, cynilo £3
   b) £4
   c) 8 wythnos (£32)

2. a) 900 ffranc
   b) £10.40

3. 290 000 lira

4. a) cnau: 300 g, wyau: 12, coco: 240 g, menyn: 300 g, siwgr: 1350 g, blawd: 450 g
   b) 100 cacen

5. a) 5:4
   b) 432
   c) 240 glas, 192 gwyn

Tudalen 30

1. a) (i) *9876 − 01* (= 9875)
      (ii) 0123 − 98 (= 25)
   b) (i) 9875 + 64 *neu* 9874 + 65 *neu* 9864 + 75 *neu* 9865 + 74 (= 9939)
      (ii) 0124 + 35 *neu* 0125 + 34 (= 159)
   c) (i) 876 × 9 (= 7884)
      (ii) 976 × 0 *neu ateb cywerth* (= 0)
   ch) (i) 87654 × 9 (= 788 886)
      (ii) 9765 × 0 *neu ateb cywerth* (= 0)
   d) (i) 96 × 87 (= 8352)
      (ii) 01 × 23 (= 23)
   dd) (i) 987 ÷ 1 (= 987)
      (ii) 012 ÷ 9 (= 1.333 i 3 ll.d.)
   e) (i) 98 ÷ 01 (= 98)
      (ii) 01 ÷ 98 (= 0.010 i 3 ll.d.)
   f) (i) 97531 + 86420 *neu ateb cywerth* (= 183 951)
      (ii) 13579 + 02468 *neu ateb cywerth* (= 16 047)

2. a) + ÷
   b) − ÷
   c) × −
   ch) × −
   d) + ×
   dd) − ×
   e) − −
   f) − +

3. a) 0
   b) 1
   c) 2
   ch) 50
   d) 9
   dd) 19
   e) 29
   f) 99

Atebion

4 a) 54
b) 63
c) 72
ch) 81
d) 90
dd) 99

5 a) $n \rightarrow 2n$ **neu** unrhyw ateb cywerth fel $n \times 2$, "dyblu"
b) $n \rightarrow n - 3$ **neu** unrhyw ateb cywerth fel "tynnu 3"

Tudalen 31

1 a) 16 cm
b) 26 m
c) 20 cm
ch) 12.8 cm **neu** 128 mm
d) 7 m **neu** 700 cm
$P = 2a + 2b$ **neu** $P = 2(a + b)$ **neu** $\frac{1}{2}P = a + b$ **neu** ateb cywerth

2 a) 5 a 6
b) 10 ac 11
c) 15 ac 16
ch) 20 ac 21
d) 31 a 32
dd) 72 a 73
e) 1004 a 1005
Nac oes, oherwydd bydd un o'r ddau rif bob amser yn odrif.

3 a) 9 ac 11
b) 49 a 51
c) 249 a 251
ch) 499 a 501
d) 2749 a 2751
dd) −1 a −3
Ydynt.

4 a) £51.80
b) cost = 2 × £14.50 + 3 × £7.60
c) $C = 14.50x + 7.60y$

5 a) 19, 31
b) 18, 30
c) 18, 30

Tudalen 32

1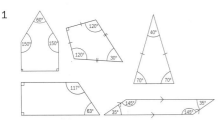

2 a) 28
b) 20
c) 112

3 Nac ydy. Mewn unrhyw driongl mae cyfanswm yr onglau yn 180°. Felly 130° ydy cyfanswm y ddwy ongl arall. Mae dwy ongl yr un faint mewn triongl isosgeles, felly mae'n rhaid i'r onglau fod yn 50°, 65° a 65°.

---

4 a) 1
b) 5
c) 14

5 a) 680 m²
b) 52 m²
c) 46 m
ch) 104 m

Tudalen 33

1 b) e.e.

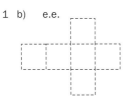

c) e.e.

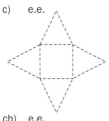

ch) e.e.

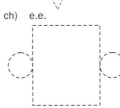

2 e.e.

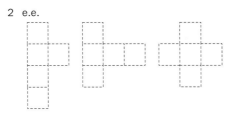

3 81 m²

4 36 cm

5 a) 4.5 cm²
b) 20 cm²

6 a) wedi'i dywyllu 1/3, heb ei dywyllu 2/3
b) wedi'i dywyllu 1/8, heb ei dywyllu 7/8

Tudalen 34

1 a) 1/6
b) 0
c) 1
ch) 26/52 = 1/2
d) 4/52 = 1/13
dd) 3/6 = 1/2
e) 11/20
f) 19/100

2 a) 20/100 = 1/5 **neu** 0.2
b) 2/100 = 1/50 **neu** 0.02
c) 54/100 = 27/50 **neu** 0.54
ch) (i) 1
(ii) 2
(iii) 20
d) (£5 × 100) − (£200 × 2) = £100

---

3 a) 1/5 = 0.2
b) 4/5 = 0.8

Tudalen 35

1 (i) 12 × 1, perimedr 104 cm
(ii) 4 × 3, perimedr 56 cm

2 a) 12.9 cm² **neu** 1290 mm²
b) 2.601 m² **neu** 26010 cm²
c) 0.11 m² **neu** 1100 cm² **neu** 110 000 mm²

3 a) 12 mlynedd
b) Brian 16, Clara 14, Dolores 8
c) 5 gwaith
ch) Brian 12, Dolores 4
d) 3 gwaith

4 a) 5
b) 5
c) 20
ch) 20

5 Mae amryw o atebion yn bosibl ar gyfer y botymau.
a) 22.65
b) £21
c) 160.7
ch) £1.47
d) £15.92

Tudalen 36

1 a) 6
b) 24

2 3 cm × 10 = 30 cm

3 Mae pob swm o 1c hyd at £3.88 yn bosibl **heblaw** am y canlynol:
4c, 9c, 14c, 19c, 24c, 29c, 34c, 39c hyd at 49c, 54c, 59c, 64c, 69c, 74c, 79c, 84c, 89c hyd at 99c; pob un o'r blaenorol gyda £1, £2 a £3.

4 a) 2, 5, 14, 41, 122
b) 1, 2, 5, 14, 41
c) 0, −1, −4, −13, −40
ch) −2, −7, −22, −67, −202
Mae yna eilrif ac odrif bob yn ail.

5 a) 2, 4, 16, 256, 65536
b) 1, 1, 1, 1, 1
c) −2, 4, 16, 256, 65536
ch) 0.5, 0.25, 0.0625, 0.00390625
d) 0.1, 0.01, 0.0001 **neu** 10^{-4}, 0.000 000 01 **neu** 10^{-8}

Tudalen 37

1 a) Bydd y gwahaniaeth rhwng y lluosymiau yn 10 bob tro.
b) Bydd y gwahaniaeth rhwng y lluosymiau yn 40 bob tro.
c) Bydd y gwahaniaeth rhwng y lluosymiau yn 20 bob tro (2 res, 3 colofn a 3 rhes, 2 golofn)

2 gwahaniaeth rhwng y lluosymiau ar gyfer sgwâr $n \times n = 10(n - 1)^2$ e.e. ar gyfer sgwariau 2 × 2 mae'n 10
ar gyfer sgwariau 3 × 3 mae'n 40
ar gyfer sgwariau 4 × 4 mae'n 90

Atebion

Atebion

3 Dyma'r rhifau a oedd ar goll (o ben y wal i'r gwaelod ac o'r chwith i'r dde ym mhob rhes):
   a) 90, 32
   b) 35, 20, 9, 6
   c) 44.1, 20.2, 6.4, 10.1
   ch) 72, 48, 4
   d) 2 160 000, 480, 30, 16
   dd) 2, 1, 1

Tudalen 38

1 1
   1, 2
   1, 3
   1, 2, 4
   1, 5
   1, 2, 3, 6
   1, 7
   1, 2, 4, 8
   1, 3, 9
   1, 2, 5, 10
   1, 11
   1, 2, 3, 4, 6, 12
   1, 13
   1, 2, 7, 14
   1, 3, 5, 15
   1, 2, 4, 8, 16
   1, 17
   1, 2, 3, 6, 9, 18
   1, 19
   1, 2, 4, 5, 10, 20
   a) 2, 3, 5, 7, 11, 13, 17, 19; rhifau cysefin
   b) 1, 4, 9, 16; rhifau sgwâr
   c) Mae nifer y ffactorau sydd gan bob un yn odrif.

2 a) 31
   b) 151
   c) 3 × nifer y corlannau + 1

3 a) 27
   b) 127
   c) 5 × (nifer y corlannau)/2 +2

4 a) 64 corlan, 125 clwyd
   b) 74 corlan, 145 clwyd
   c) Mewn marchnad a m wrth b m, mae'n bosibl gosod $(a + b - 6)$ corlan gan ddefnyddio $(2a + 2b - 15)$ clwyd

Adran Pedwar – Algebra

Tudalen 39

1 a) $a = 4$
   b) $b = 4$
   c) $c = 5$
   ch) $d = 5$
   d) $e = 6$
   dd) $f = 26$
   e) $g = 14$
   f) $h = 2$

2 a) $3j$
   b) $5k$
   c) $3m + n + p$
   ch) $5q$
   d) $6r$
   dd) $3s$
   e) $2(t + u)$ *neu* $2t + 2u$
   f) $7w + 3v$

---

3 a) gwir
   b) anwir
   c) anwir
   ch) anwir
   d) anwir
   dd) gwir

4 a) $3x = 24$, $x = 8$
   b) $w/7 = 3$, $w = 21$
   c) $5z + 7 = 52$, $z = 9$
   ch) $x^2 = 36$, $x = 6$ (*neu* –6)
   d) $4(m +3) = 28$, $m = 4$
   dd) $3(r/3 + 3) = 15$, $r = 6$
   e) $p - g = c$; lle bo p yn cynrychioli pres poced, g yn cynrychioli arian a wariwyd ac c yn cynrychioli arian a gynilwyd
   f) $g - p = e$; lle bo g yn cynrychioli pris gwerthu, p yn cynrychioli pris prynu ac e yn cynrychioli elw

Tudalen 40

1 a) 1
   b) 2.5 *neu* 2½
   c) 13.75 *neu* 13¾
   ch) 0.35
   d) –3
   dd) –5
   e) 4
   f) 6

2 a) 3
   b) 0.5 *neu* ½
   c) 5
   ch) 11
   d) 15
   dd) –6
   e) 10
   f) –4

3 $12 \times (3 + 4) = (12 \times 3) + (12 \times 4)$
   $12 - (3 + 4) = 12 - 3 - 4$
   $12 - (3 - 4) = 12 - 3 + 4$
   $a(b - c) = ab - ac$
   $ab + c = c + ba$
   $a - (b + c) = a - b - c$
   $a - (b - c) = a - b + c$

4 a) $m = 9$
   b) $n = 12$
   c) $r = 0$
   ch) $s = 2$

Tudalen 41

1 a) $4a$
   b) $3b + 2c$
   c) $4d + e + 3f$
   ch) $2 + 2g$ *neu* $2(1 + g)$
   d) 1
   dd) $5j^2 + 3j$
   e) $-2n$
   f) $16p - 13q - 4f$

2 a) $3z - 12$
   b) $7y + 5$
   c) $8w - 45$
   ch) $14v + 10u$
   d) $3t - 26s$
   dd) $3r + 6s - 9t$
   e) $10q + 6n$
   f) $8m - 10k + 8$

---

3 a) $6g + 14$
   b) $6b$
   c) $4h + 12$
   ch) $4d + 14$
   d) $5e - 2$
   dd) $2a + 6$
   e) $12f$

4 a) 6 m × 6 m
   b) 4 m × 8 m
   c) 5 m × 7 m
   ch) 1 m × 11 m
   d) 3 m × 9 m
   dd) 2 m × 10 m

Tudalen 42

1 a) $j = 5$
   b) $k = 5$
   c) $m = 11$
   ch) $n = 5$
   d) $p = 5$
   dd) $q = 18$
   e) $r = 4$
   f) $s = 1.4$

2 a) $x = 2$
   b) $x = 4$
   c) $x = 2$
   ch) $x = 6$
   d) $x = 1/2$
   dd) $x = 4$
   e) $x = 12$
   f) $x = 3$

3 $7a + 23 = 44 \Rightarrow 7a = 21 \Rightarrow a = 3$

4 a) 16×300 ml + 200 ml = 5000 ml *neu* 5 litr
   b) 12 cwpan
   c) 200 ml

5 a) $17x = 102$ cm $\Rightarrow x = 6$ cm
   b) $(6 \times 5) + (4 \times 4) + 3 = 49$
   c) $45 + 6b = 63 \Rightarrow b = 3$

Tudalen 43

1 a) 2, 3, 4, 5, 6; "rhifau cyfain (gan ddechrau â 2)"
   b) 2, 4, 6, 8, 10; "tabl 2" *neu* "eilrifau"
   c) 3, 5, 7, 9, 11; "odrifau (gan ddechrau â 3)"
   ch) 3, 6, 9, 12, 15; "tabl 3"
   d) 1.5, 2, 2.5, 3, 3.5; "i fyny fesul hanner (gan ddechrau ag 1.5)"
   dd) 0, 3, 6, 9, 12; "i fyny fesul 3 (gan ddechrau â 0)" *neu* "tabl 3"
   e) 5, 10, 15, 20, 25; "tabl 5"
   f) 9, 8, 7, 6, 5; "i lawr fesul 1 (gan ddechrau â 9)"

2 a) 10 cm²
   b) 30 cm²
   c) 3 m
   ch) 8 km

3 a) £15 = 1500c
   b) $a = (8n + 1500)/100$; lle bo a yn cynrychioli bil Alun mewn £, ac n yn cynrychioli nifer y galwadau

Atebion

c) £16.60
ch) £24.60
d) £19.80

4 a) $p = (50d + 25g)/100$; lle bo p yn cynrychioli bil Paul mewn £, d yn cynrychioli nifer y galwadau yn y dydd ac g yn cynrychioli nifer y galwadau gyda'r nos
b) £12.50
c) £27.50
ch) 92
d) 8

Tudalen 44

1 a) + 2 *neu* "odrifau"; 9, 11
b) + 2; 303, 305
c) – 3; 11, 8
ch) + 4; 20, 24
d) + 7; 40, 47
dd) – 2; 0, –2
e) × 2; 96, 192
f) ÷ 2; 16, 8

2 a) 19, 28
b) 38, 54
c) 4, 32
ch) 4, 1/2
d) 0, –10
dd) 21, 54
e) 54, 27, 9, 0
f) 9, 81

3 a) 3, 5, 7, 9, 11
b) 1, 4, 7, 10, 13
c) 2, 7, 12, 17, 22
ch) 12, 13, 14, 15, 16
d) 3, 13, 23, 33, 43
dd) 2, 1, 0, –1, –2
e) ½, 1, 1½, 2, 2½
f) 3½, 4, 4½, 5, 5½

4 a) 21, 34
b) 29, 47
c) 45, 73

Tudalen 45

1 a) 2, 5, 8, 11, 14, 17
b) 7, 6, 5, 4, 3, 2
c) 4, 11, 18, 25, 32, 39
ch) 100, 85, 70, 55, 40, 25
d) 4, 12, 36, 108, 324, 972
dd) 800, 400, 200, 100, 50, 25
e) 3, 30, 300, 3000, 30 000, 300 000
f) 6, 3, 0, –3, –6, –9

2 a) 2, 4, 6, 8, 10, 12
b) 5, 7, 9, 11, 13, 15
c) 6, 8, 10, 12, 14, 16
ch) 1, 3, 5, 7, 9, 11
d) 3, 6, 9, 12, 15, 18
dd) 6, 9, 12, 15, 18, 21
e) 7, 10, 13, 16, 19, 22
f) 2, 5, 8, 11, 14, 17

3 a) 3, 7, 12, 52
b) 3, 15, 30, 150
c) 3, 11, 21, 101
ch) –1, 3, 8, 48
d) 10, 50, 100, 500
dd) 1, 17, 37, 197
e) 99, 95, 90, 50
f) 98, 90, 80, 0

4 a) 4, 8, 12, 16, 20
b) 2, 5, 8, 11, 14
c) 10, 8, 6, 4, 2
ch) 20, 22, 24, 26, 28
d) 10, 8, 6, 4, 2
dd) 20, 22, 24, 26, 28
e) 4, 8, 12, 16, 20
f) 2, 5, 8, 11, 14
(a) ac (e)
(b) ac (f)
(c) a (d)
(ch) ac (dd)

Tudalen 46

1 a) (i)
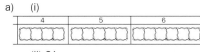
(ii) 31
(iii) 301
(iv) 3 gwaith n ac adio 1
(v) $3n + 1$

b) (i)

(ii) 30
(iii) 300
(iv) 3 gwaith n
(v) $3n$

c) (i)

(ii) 30
(iii) 300
(iv) 3 gwaith n
(v) $3n$

ch) (i)
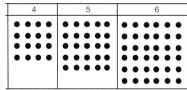
(ii) 100
(iii) 10 000
(iv) n gwaith n *neu* sgwario n
(v) n^2

2 a) (i) 2
(ii) 4
(iii) 8
(iv) 1024
b) (i) lluosi n o rifau 2 â'i gilydd i gael y nifer ar ôl n diwrnod
(ii) 2^n

Tudalen 47

1 a) 6, 8, 10, 12
b) 13, 14, 15, 16
c) 3, 5, 7, 9, 11, 13
ch) ... 9, 10, 11, ... ac 80, ... 120, 130
d) 12, 11, 10, 9, 8, 7
dd) 1, 1.5, 2, 2.5, 3, 3.5

2 a) $x \rightarrow x + 1$
b) $x \rightarrow 3x$
c) $x \rightarrow 2x$
ch) $x \rightarrow 2x + 1$

3 a) $x \rightarrow x - 1$
b) $x \rightarrow x/3$
c) $x \rightarrow x/2$
ch) $x \rightarrow (x - 1)/2$

Tudalen 48

1
x	–3	–2	–1	0	1	2	3
y	–3	–2	–1	0	1	2	3

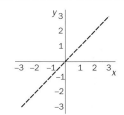

2
x	–3	–2	–1	0	1	2	3
y	–1	0	1	2	3	4	5

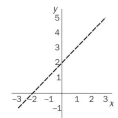

3
x	–3	–2	–1	0	1	2	3
y	–6	–5	–4	–3	–2	–1	0

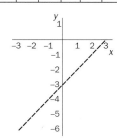

4 Maent yn llinellau syth ac yn baralel i'w gilydd.
Y rhyngdoriadau ar echelin y ydy (0, 0), (0, 2) a (0, –3).

Atebion

5

x	−3	−2	−1	0	1	2	3
y	−6	−4	−2	0	2	4	6

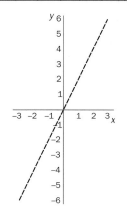

6

x	−3	−2	−1	0	1	2	3
y	−9	−6	−3	0	3	6	9

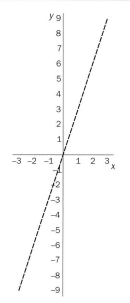

7 Maent yn llinellau syth ac yn mynd trwy (0, 0). Mae graddiant (goledd) y naill linell a'r llall yn wahanol.

Tudalen 49

1 a) £23
   b) ac (c)

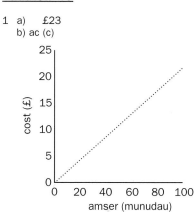

   ch) £4.60
   d) £20.70
   dd) 25 munud
   e) tua 65 munud

2 a)

Nifer y munudau	0	10	20	30	50	100
Cost (£)	10	10.50	11	11.50	12.50	15

   (b) ac (c)

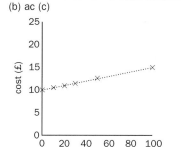

   ch) £12.00
   d) 80 munud
   dd) Dylai'r graffiau groesi tua'r pwynt (55.6, 12.80)
   e) "Mae ffôn Moira yn rhatach os ychydig o alwadau sy'n cael eu gwneud." *neu* "Mae un Glenys yn rhatach os gwneir llawer o alwadau."
   f) ffôn Moira (Moira: £4.60, Glenys: £11.00)
   ff) ffôn Glenys (Moira: £20.70, Glenys: £14.50)

Tudalen 50

1 a) Mae £10 yn rhoi 105 kr, £20 yn rhoi 210 kr, £50 yn rhoi 525 kr
   b)

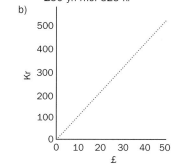

   c) rhwng 363 kr a 373 kr (367.5 kr yn fanwl)
   ch) tua £24 (£23.81 yn fanwl)

2 a) Mae £10 yn rhoi €14, £20 yn rhoi €28, £50 yn rhoi €70
   b)

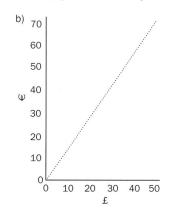

   c) rhwng €46 a €52 (€49 yn fanwl)
   ch) tua £179 (£178.58 yn fanwl)

3 a)

   b) Nid yw'r pwyntiau rhwng y tymereddau a gafodd eu mesur yn ddilys. Disgwylir i'r tymheredd ddisgyn yn ystod y nos ym mis Mawrth.

4 a) 6
   b) 3
   c) 2
   ch) 4 *neu* 5
   d) 4 *neu* 5
   dd) 1

Adran Pump – Siâp, Gofod a Mesurau

Tudalen 51

1 a) DC
   b) EB
   c) berpendicwlar
   ch) baralel
   d) isosgeles
   dd) ongl sgwâr
   e) paralelogram
   f) trapesiwm
   ff) 70
   g) 70
   ng) 70
   h) BC = FD
   i) FB = BD = DC

2 a) sgwâr
   b) petryal
   c) paralelogram
   ch) barcut
   d) pentagon (rheolaidd)
   dd) hecsagon (rheolaidd)
   e) pentagon
   f) octagon (rheolaidd)
   ff) triongl isosgeles
   g) triongl hafalochrog
   ng) trapesiwm

Tudalen 52

1 a) $a = 30°$, $b = 150°$
   b) $c = 30°$, $d = 30°$
   c) $e = 134°$
   ch) $f = 331°$
   d) $g = 61°$
   dd) $h = 50°$
   e) $i = 72°$
   f) $j = 45°$

2 a) $a = 50°$
   b) $b = 30°$
   c) $c = 20°$
   ch) $d = 57°$
   d) $e = 77°$
   dd) $f = 66°$

Atebion

Tudalen 53

1
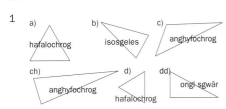
a) hafalochrog
b) isosgeles
c) anghyfochrog
ch) anghyfochrog
d) hafalochrog
dd) ongl sgwâr

2

a) afreolaidd ceugrwm
b) barcut
c) paralelográm
ch) sgwâr
d) trapesiwm
dd) afreolaidd amgrwm
e) rhombws
f) petryal

3 (a)–(c)

4 60°
(a) a (b)
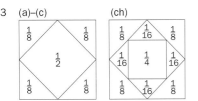
60°
120°

c) Mae onglau mewnol hecsagon rheolaidd ddwywaith onglau mewnol triongl hafalochrog (h.y. 60° yn y triongl a 120° yn yr hecsagon).

Tudalen 54

1 a)

Maint y siâp	Siâp 1 × 1	Siâp 2 × 2	Siâp 3 × 3	Siâp 4 × 4
Nifer y sgwariau 1 × 1	1	4	9	16
Nifer y sgwariau 2 × 2	0	1	4	9
Nifer y sgwariau 3 × 3	0	0	1	4
Nifer y sgwariau 4 × 4	0	0	0	1
Cyfanswm y sgwariau	1	5	14	30

b) Mae pob colofn yn cynnwys rhestr o rifau sgwâr, 1, 4, 9 ... Felly cyfanswm y sgwariau ydy cyfanswm y rhifau sgwâr hyd at faint y siâp, gan gynnwys maint y siâp, e.e. cyfanswm y sgwariau yn y siâp 3 × 3 = $1^2 + 2^2 + 3^2 = 14$.

c) cyfanswm y sgwariau yn y siâp 5 × 5 = $1^2 + 2^2 + 3^2 + 4^2 + 5^2 = 55$

ch) siâp 5 × 5 i gadarnhau'r ateb yn (c)

2 Mae nifer o bosibiliadau, e.e.
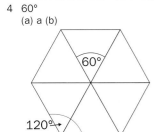
a) b) c) ch) d)

3 AÊF = EB̂C = AĈB = EĈD = 40°
AB̂E = AĈE = CÊB = BÂC = CD̂E = 50°
AF̂E = BF̂C = 100°
BF̂A = CF̂E = 80°

a) unrhyw dri cywir, e.e. ABCE, BEDC, CDEF
b) Mae onglau pob pedrochr yn adio i roi 360°.

Tudalen 55

1
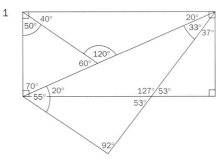
40° 20°
50° 33°
120° 37°
60°
70° 127° 53°
55° 20° 53°
92°

2 a) A = 72°, B = 252°
b) C = 60°, D = 240°
c) E = 45°, F = 225°
ch) G = 36°, H = 216°

3
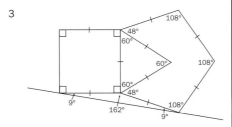
108°
48°
60°
60° 108°
60°
48°
9° 162° 9° 108°

4 a) rhombws *neu efallai* sgwâr
b) gwaith ymarferol

Tudalen 56

1 Mae nifer o bosibiliadau, e.e.
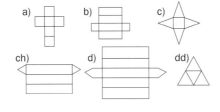
a) b) c) ch) d) dd)

2
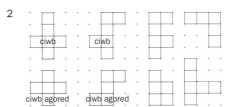
ciwb ciwb
ciwb agored ciwb agored

3
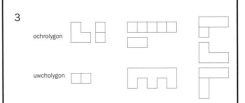
ochrolygon
uwcholygon

4

Tudalen 57

1
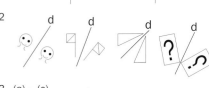

2
d d d d

3 (a) – (c)
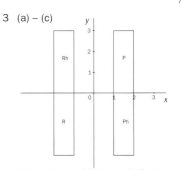
Rh P
R Ph

ch) adlewyrchiad yn echelin y

4
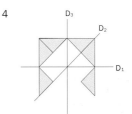
D₃
D₂
D₁

1 llinell cymesuredd (D₃)

Tudalen 58

1
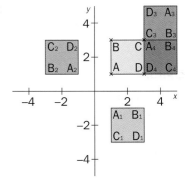
Ch A
D C
B

2
D₃ A₃
C₃ B₃
C₂ D₂ B C A₄ B₄
B₂ A₂ A D D₄ C₄
A₁ B₁
C₁ D₁

Atebion

3
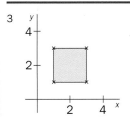

a)   (i) A(1, 3), B(3, 3), C(3, 1), D(1, 1)
     (ii) A(3, 3), B(3, 1), C(1, 1), D(1, 3)
     (iii) A(3, 1), B(1, 1), C(1, 3), D(3, 3)

b)   Mae pob cylchdro yn rhoi'r sgwâr gwreiddiol, heblaw am labeli'r corneli.

4 Mae nifer o bosibiliadau.

Tudalen 59

1 a)
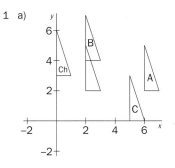

b)   2 uned i'r dde, 1 uned i lawr
c)   1 uned i'r dde, 2 uned i fyny

2 a)   4 uned i'r dde, 2 uned i fyny
  b)   3 uned i'r dde, 6 uned i lawr
  c)   3 uned i'r chwith, 7 uned i lawr
  ch) 8 uned i'r chwith, 6 uned i lawr
  d)   7 uned i'r chwith
  dd) 11 uned i'r chwith
  e)   11 uned i'r dde
  f)   10 uned i'r chwith, 6 uned i fyny

3 a)   trawsfudiad 6 i'r dde, 3 i fyny
  b)   adlewyrchiad yn y llinell $y = 4.5$
  c)   cylchdro 180° o gwmpas (0, 0) *NEU* adlewyrchiad yn echelin x (*neu'r* llinell $y = 0$) ac adlewyrchiad yn echelin y (*neu'r* llinell $x = 0$)
  ch) adlewyrchiad yn echelin x (*neu'r* llinell $y = 0$)
  d)   trawsfudiad 12 i'r dde, 8 i fyny
  dd) adlewyrchiad yn y llinell $y = -4$, ac adlewyrchiad yn y llinell $x = -6$ *NEU* gylchdro 180° o gwmpas (-6, -4)
  e)   cylchdro 90° gwrthglocwedd o gwmpas (0, 0)
  f)   adlewyrchiad yn y llinell $x = 5$
  ff) adlewyrchiad yn echelin y (*neu'r* llinell $x = 0$)
  g)   adlewyrchiad yn echelin y (*neu'r* llinell $x = 0$)

Tudalen 60

1 a) H   b) E   c) L   ch) I

2 a)   (4, 4)
  b)   (1, 1)
  c)   (5, 0)
  ch) (-3, -3)
  d)   (10, 7)
  dd) (4, 6)
  e)   (0, 8)
  f)   (8, 0) *neu* (-4, 0) *neu* (4, -8)

---

3 Dyma'r cyfesurynnau newydd:
  cam 1: (1, 0)
  cam 2: (1, 1)
  cam 3: (-1, 1)
  cam 4: (-1, -1)
  cam 5: (2, -1)
  cam 6: (2, 2)
  Mae'r patrwm ar ffurf sbiral.

Tudalen 61

1 Dylai'r atebion fod o fewn 1 mm.
  a)   40 mm
  b)   33 mm
  c)   52 mm
  ch) 66 mm
  d)   60 mm
  dd) 47 mm
  e)   6 mm
  f)   15 mm

2 Dylai'r atebion fod o fewn 2°.
  a)   230°
  b)   24°
  c)   113°
  ch) 337°
  d)   173°
  dd) 86°
  e)   54°
  f)   98°

3 gwaith ymarferol
  a)
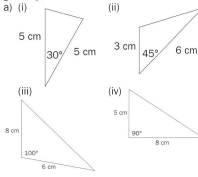
  b)
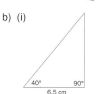
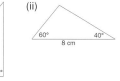
  c)
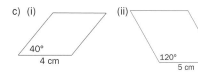

---

4 Mae nifer o bosibiliadau, e.e.

a)   b)

c)   ch)

d)

Tudalen 62

1 a)   300 cm = 3000 mm
  b)   250 cm = 2500 mm
  c)   5 m = 5000 mm
  ch) 1 m = 100 cm
  d)   5.5 m = 550 cm
  dd) 50 cm = 500 mm
  e)   5700 m
  f)   4.4 km

2 a)   100 cl = 1000 ml
  b)   200 cl = 2000 ml
  c)   3.5 litr = 3500 ml
  ch) 0.5 litr = 50 cl
  d)   2 kg
  dd) 7400 g
  e)   1 000 000 g = 1000 kg
  f)   9.3 tunnell fetrig

3 a)   10 000 cm^2
  b)   15 000 cm^2
  c)   100 mm^2
  ch) 3 cm^2
  d)   100 000 cm^2 *neu* 10^5 cm^2
  dd) 10 000 cm^2 = 1 000 000 mm^2 *neu* 10^4 cm^2 = 10^6 mm^2

4 a)   1.7 kg
  b)   1.3 kg
  c)   4.1 g
  ch) 8.6 g
  d)   21.5°C
  dd) 6.0°C
  e)   83.5°
  f)   31.0°
  ff) 1 awr 14 munud 52.7 eiliad
  g)   47 munud 26.1 eiliad

5 **Rhestr Lowri**:
  53 km = 33 milltir
  3.4 kg = 7½ pwys *neu* 7 pwys 8 owns
  0.75 litr = 1.3 peint
  125 g = 0.28 pwys *neu* 4.4 owns
  1.9 m = 2.1 llath *neu* 76 modfedd *neu* 2 lath 4 modfedd

  Rhestr Taid:
  159 milltir = 254 km
  6 galwyn = 27 litr
  82 modfedd = 205 cm *neu* 2.05 m
  6 phwys = 2.7 kg *neu* 2700 g

Atebion

Tudalen 63

1 a) ongl lem
   b) ongl lem
   c) ongl aflem
   ch) ongl sgwâr
   d) ongl atblyg
   dd) ongl lem
   e) ongl aflem

2 Dylai'r atebion fod o fewn 5°.
   a) 10°
   b) 30°
   c) 90°
   ch) 120°
   d) 45°
   dd) 270°
   e) 60°
   f) 315°

3 a) 90°
   b) 180°
   c) 270°
   ch) 270°
   d) 135°
   dd) 45°

4 a) 90°
   b) 270°
   c) 90°
   ch) 180°
   d) 45°
   dd) 135°

5 a) diod
   b) llyfr
   c) ci
   ch) diod
   d) dol
   dd) pethau da

Tudalen 64

1 a) perimedr 14 cm, arwynebedd 10 cm², triongl 5 cm²
   b) perimedr 12 m, arwynebedd 8 m², triongl 4 m²
   c) perimedr 20 cm, arwynebedd 21 cm², triongl 10.5 cm²
   ch) perimedr 36 m, arwynebedd 72 m², triongl 36 m²
   d) perimedr 2.2 m, arwynebedd 0.1 m², triongl 0.05 m² *neu* perimedr 220 cm, arwynebedd 1000 cm², triongl 500 cm²
   dd) perimedr 8 cm, arwynebedd 3 cm², triongl 1.5 cm²

2 a) arwynebedd 36 m², perimedr 28 m
   b) arwynebedd 9 m², perimedr 20 m
   c) arwynebedd 42 cm², perimedr 38 cm
   ch) arwynebedd 87 mm², perimedr 56 mm
   d) arwynebedd 75 cm², perimedr 46 cm

3 a) 24 cm²
   b) 8 cm
   c) 2 cm
   ch) 6 cm
   d) 2 cm

4 Dyma enghreifftiau o'r atebion posibl.
   a = 7   a = 11

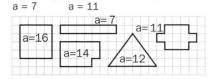

5 Dyma enghreifftiau o'r atebion posibl.

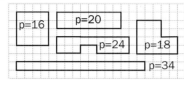

6 a) 2 m wrth 9 m
   b) 5 cm wrth 6 cm
   c) 7 cm wrth 7 cm ⇒ arwynebedd 49 cm²
   ch) uchder 4 m

Tudalen 65

1 a) 24
   b) 6
   c) dau wyneb 6 cm², dau wyneb 12 cm², dau wyneb 8 cm²
   ch) 52 cm²

2 a) (i) 3 cm³
      (ii) 14 cm²
   b) (i) 125 mm³
      (ii) 150 mm²
   c) (i) 500 m³
      (ii) 400 m²

3 a) 6 cm³
   b) 13.5 cm³
   c) 5 cm³

4 a) 12 wrth 1 wrth 1, 2 wrth 2 wrth 3, 1 wrth 2 wrth 6, 1 wrth 3 wrth 4
   b) 2 wrth 2 wrth 3
   c) 1 wrth 1 wrth 24, 1 wrth 2 wrth 12, 1 wrth 3 wrth 8, 1 wrth 4 wrth 6, 2 wrth 2 wrth 6, 2 wrth 3 wrth 4
   ch) 2 wrth 3 wrth 4

Adran Chwech – Trin Data

Tudalen 66

1 a) Mae nifer o bosibiliadau, e.e. nifer y ceir, lorïau, faniau; nifer y disgyblion; nifer y ceir wedi'u parcio; llefydd diogel i groesi; cyflymder ceir.
   b) ar ddechrau ac ar ddiwedd y diwrnod ysgol – Dyna pa bryd y byddai problemau trafnidiaeth yn debygol gan fod pobl yn cyrraedd neu'n gadael yr ysgol.
   c) Mae'n debygol y bydd y ddynes yn gorffen ei gwaith ychydig o oriau ar ôl i'r disgyblion fynd adref.

2 a) Mae nifer o bosibiliadau, e.e. lleoliad (gwledig / trefol); hyd y daith; diogelwch wrth deithio; diffyg amser ar ran rhieni gan eu bod yn rhuthro i'w gwaith.
   b) Mae'r atebion yn dibynnu ar yr atebion yn (a).

3 a) Mae nifer o bosibiliadau, e.e. gallai ystyried y ffactorau canlynol: nifer y lluniau; maint y sgrifen; hyd y llyfr, hyd y brawddegau, hyd y geiriau; geirfa; lefel yr iaith.
   b) Mae'r atebion yn dibynnu ar yr atebion yn (a).

4 a) atebion y disgyblion
   b) atebion y disgyblion
   c) atebion y disgyblion – Dylid dangos y prosesau mathemategol sydd y tu ôl i'r rhesymu.

Tudalen 67

1 a) Dylai sicrhau bod y sampl yn cynnwys cynrychiolaeth yn ôl oed, rhyw, ac ati Dylai'r disgyblion gael eu dewis ar hap.
   b) Dylai ail-wneud yr arolwg ar ddiwrnod arall a dylai hyn leihau rhywfaint ar unrhyw dueedd. Gallai wneud hyn ar nifer o ddiwrnodau gyda thrawstoriad da o ddisgyblion gwahanol bob tro.

2 a) Mae nifer o bosibiliadau, e.e. beth y mae'r cwsmeriaid yn ei brynu; faint y maent yn ei brynu; pa mor aml y maent yn bwyta yno
   b) Nac oes. Byddai sampl gynrychioliadol yn ddigon da.
   c) Na fydd. Mae'r sampl yn rhy fach. Mae'n debygol na fydd y bobl yn gynrychioliadol o'r cwsmeriaid.

3 Dylai'r atebion gyfeirio at ba mor gynrychioliadol ydy'r sampl neu at faint y sampl, fel yn yr enghreifftiau hyn.
   a) (i) Gwael, oherwydd dim ond pobl nad ydyn nhw'n gweithio neu nad ydyn nhw yn yr ysgol a fydd yna. Byddai'n weddol dda ar gyfer rhaglenni dydd yn unig.
      (ii) Gwael, oherwydd dim ond plant fydd yna.
      (iii) Gweddol dda, ond mae'n debygol mai ychydig o bobl sy'n gweithio yn ystod y dydd a fyddai yna. Byddai'n well ar gyfer rhaglenni dydd.
      (iv) Gwael, oherwydd dim ond pobl sy'n hoffi cerddoriaeth glasurol a fyddai yna.
      (v) Gweddol dda, ond ni fyddai plant yna.
      (vi) Gwael, oherwydd dim ond pobl o un ardal a fyddai yna. Hefyd, mae'n bosibl nad Cymry fyddai llawer o'r bobl.
      (vii) Gwael, oherwydd byddai'r sampl yn rhy fach *neu* oherwydd na fyddai'r bobl yn byw yng Nghymru.
   b) Gellid dewis (ii) a (v) gyda'i gilydd er mwyn cael oedolion a phlant.

4 canlyniadau cyfrifiadau *neu* gofrestri genedigaethau

Tudalen 68

1 Rhywbeth yn debyg i hyn:

Math o gerbyd	Nifer			
	10:00-10:15	10:15-10:30	10:30-10:45	10:45-11:00
car				
fan				
lori				
beic				
moto-beic				
tractor				
arall				

Atebion

2 Rhywbeth yn debyg i hyn:
   a) Sut rydych yn teithio i'r ysgol?
      ☐ mewn car
      ☐ mewn bws
      ☐ cerdded
      ☐ ar gefn beic
      ☐ arall ....
   b) Faint o amser y mae'n ei gymryd i chi deithio i'r ysgol?
      ☐ 0–15 munud
      ☐ 16–30 munud
      ☐ 31–45 munud
      ☐ 46–60 munud
      ☐ mwy na 60 munud
   c) A ydych yn teithio ar eich pen eich hun?
      ydw / nac ydw
   ch) A oes cludiant cyhoeddus ar gael?
      oes / nac oes
      A ydych yn defnyddio cludiant cyhoeddus?
      ydw / nac ydw

3 Rhywbeth yn debyg i hyn:

Hyd brawddeg mewn geiriau	Nifer
1–5	
6–10	
11–15	
16–20	
21–25	
Mwy na 25	

4 a) 0–29 munud
      30 munud neu fwy ond llai nag 1 awr
      1 awr neu fwy ond llai na 2 awr
      2 awr neu fwy ond llai na 3 awr
      3 awr neu fwy ond llai na 4 awr
      4 awr neu fwy

   b) Rhywbeth yn debyg i hyn:
      1. A ydych ar eich ffordd i'ch gwaith?
      2. Faint o amser y mae eich taith i'r gwaith ac yn ôl yn ei gymryd fel arfer?

Hyd y daith	Nifer
0-29 munud	
30-59 munud	
1 awr – 1 awr 59 munud	
2 awr – 2 awr 59 munud	
3 awr – 3 awr 59 munud	
4 awr neu fwy	

5 Atebion posibl:
   1. Dydy'r holiadur ddim yn berthnasol ond ar gyfer pobl sy'n byw union 1, 2, 3, 4 a 5 milltir i ffwrdd. Dylai'r pellter fod mewn categorïau, e.e. "0 i 1 filltir". Mae angen categori ar gyfer pellterau mawr ar y diwedd, e.e. "dros 5 milltir".
   2. Gallai'r cwestiwn fod yn rhy benagored.
   3. Ni ddylai'r categorïau gynnwys niferoedd sy'n gyffredin. Dylid defnyddio, e.e. "21–25" a "26–30". Mae angen categori ar gyfer niferoedd mawr, e.e. "31+". Gellid cadw lled pob categori yr un faint, e.e. "1 – 5" a "6 – 10".
   4. Dylai'r cwestiwn ofyn "Faint o deledu rydych yn ei wylio bob diwrnod?" (*neu* "bob wythnos")
      Mae angen categori ar y diwedd ar gyfer llawer o wylio, e.e. "dros 5 awr". Gellid disgrifio'r categorïau yn fwy manwl, e.e. "llai nag 1 awr", "1 awr neu fwy ond llai na 2 awr".

Tudalen 69

1 a) 8
  b) 21
  c) 0.4
  ch) 7 a 10
  d) 106

2 a) canolrif 6, amrediad 5
  b) canolrif 6, amrediad 10
  c) canolrif 0.34, amrediad 0.6
  ch) canolrif 14, amrediad 10
  d) canolrif 94, amrediad 7
  dd) canolrif 38.5, amrediad 13

3 a) 6
  b) 27
  c) 105
  ch) 1.77 i 2 l.d.

4 a) canolrif 14, modd 14
  b) canolrif 5½, modd 5½
  c) canolrif 6 mis, modd 6 mis
  ch) canolrif 100 g, modd 150 g

Tudalen 70

1 a) 212 kg
  b) 144 kg
  c) 356 kg
  ch) 50.9 kg

2 ((3 × 56 kg) + (4 × 51 kg)) / 7 = 53.1 kg

3 5, 5, 9, 10, 11

4 11, 13, 15, 15, 16

5 29

6 a) (i) cymedr 15.35 *neu* 15½
      (ii) canolrif 15½
      (iii) modd 15½
      (iv) amrediad 2½
  b) (i) cymedr 20.3 (i 1 ll.d.)
      (ii) canolrif 23
      (iii) modd 23
      (iv) amrediad 29
  c) (i) cymedr £5.68
      (ii) canolrif £4.90
      (iii) modd £5.60 a £6.10
      (iv) amrediad £12.30
  ch) (i) cymedr 8.5 (i 1 ll.d.)
      (ii) canolrif 9
      (iii) modd 1
      (iv) amrediad 16
  d) (i) cymedr £16,450
      (ii) canolrif £10,250
      (iii) modd £5,600
      (iv) amrediad £50,400
  dd) (i) cymedr £2,514
      (ii) canolrif £10
      (iii) modd £10
      (iv) amrediad £24,990
  e) (i) cymedr 19.3
      (ii) canolrif 19.5
      (iii) modd 2, 36 a 37
      (iv) amrediad 36

Tudalen 71

1

Hoff sebon ar y teledu	Nifer y gwylwyr	Graddau
Palmant Arian	15	30°
Tipyn o Stryd	45	90°
Pen Llinyn	30	60°
Rownd y Dref	30	60°
Pobl Llwm	60	120°
CYFANSWM	180	360°

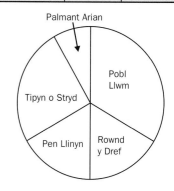

2

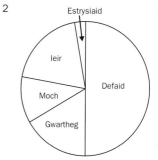

3

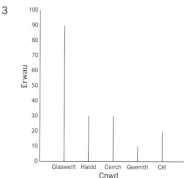

4 a)

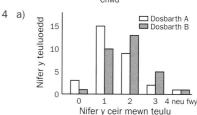

   b) Mae tuedd i gael mwy o geir y teulu yn Nosbarth B o'i gymharu â Dosbarth A. Mae'n ymddangos bod cyfartaledd nifer y ceir y teulu yn uwch yn B nac yn A.

Atebion

Tudalen 72

1 a) Dilys: 150°, Jim: 90°, Enid: 45°, Glyn: 60°, Carys: 15°
  b) 1/4
  c) 720
  ch) 300
  d) Carys

2 a) Mae Siencyn wedi bwyta 5 gwaith cymaint o frechdanau ag y mae Sioned. Dydy ongl sector "caws a nionyn" Sioned ddim 5 gwaith ongl sector "caws a nionyn" Siencyn, felly mae Siencyn wedi bwyta llai o frechdanau caws a nionyn.
  NEU
  Nifer y brechdanau i bob gradd ar gyfer Siencyn = 500 ÷ 360 = 1.39; ongl "caws a nionyn" Siencyn = 56°. Felly nifer brechdanau caws a nionyn Siencyn = 56 × 1.39 = 78.
  Nifer y brechdanau i bob gradd ar gyfer Sioned = 100 ÷ 360 = 0.28 ongl "caws a nionyn" Sioned = 198°. Felly nifer brechdanau caws a nionyn Sioned = 198 × 0.28 = 55.
  b) 125. Mae'r sector yn edrych fel chwarter y siart cylch (*gellir gwirio bod yr ongl yn 90° trwy ddefnyddio onglydd neu sgwaryn*).
  Felly yr ateb ydy chwarter cyfanswm y brechdanau sef 500/4 = 125.

3 a) 3/5
  b) 1/50
  c) 36°
  ch) addysg: £180 miliwn, gwasanaethau cymdeithasol: £60 miliwn, ffyrdd a thrafnidiaeth: £30 miliwn, rheolaeth gwastraff: £18 miliwn, gwasanaethau tân ac achub: £6 miliwn, llyfrgelloedd a hamdden: £6 miliwn

4 a) 30
  b) tennis
  c) 15

Tudalen 73

1 a) llyfr B
  b) Na, mae angen gwybod beth ydy cynnwys y llyfr, e.e. beth y mae'n sôn amdano, geirfa, lefel yr iaith.

2 a) ysgol A (95 yn ysgol A, 90 yn ysgol B)
  b) ysgol B
  c) 10

3 a) Treafal
  b) Caergnau

4 a) dyddiau Llun, Mercher a Gwener
  b) dydd Iau
  c) Mochdraed

Tudalen 74

1 a) amhosibl
  b) sicr
  c) tebygol *neu* annhebygol
  ch) annhebygol *neu efallai* tebygol
  d) amhosibl
  dd) tebygol *neu* annhebygol
  e) amhosibl
  f) tebygol *neu* annhebygol

2 a) yn annhebygol
  b) yn fwy tebygol
  c) yn fwy tebygol
  ch) yn llai tebygol

3 Atebion y disgyblion

4 a) Mae'n debygol o fod yn uwch. "O'r cardiau sy'n weddill, dim ond un sy'n llai na 2, felly mae'n annhebygol mai hwnnw fydd yn cael ei ddewis."
  neu
  "2 ydy un o'r rhifau lleiaf o 1 i 10".
  b) Mae'n amhosibl. "Mae'r '1' a'r '2' wedi ymddangos yn barod a'r lleiaf o'r cardiau sydd ar ôl ydy'r '3' sy'n fwy nag 1."

Tudalen 75

1
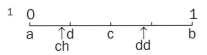

2 a) 1/2
  b) 1/2
  c) 2/3
  ch) 1/2
  d) 1/3
  dd) 0

3 a) 1/13
  b) 2/13
  c) 0
  ch) 7/13

4 a) 1/2
  b) 1/10
  c) 1/10
  ch) 1/5
  d) 0
  dd) 3/10

Tudalen 76

1 a) Mae'n anodd dweud.
  b) Mae'n anodd dweud.
  c) Efallai nac ydy, oherwydd ar ôl 100 tafliad mae nifer y pennau a'r cynffonau yn eithaf cyfartal.
  ch) Mae'n bosibl ei fod, oherwydd mai isel iawn ydy'r tebygolrwydd o gael 31 neu lai o bennau ar ôl taflu darn arian teg 100 gwaith.

2 Atebion y disgyblion

Tudalen 77

1 a) 5
  b) 50
  c) 250
  ch) 1
  d) 10
  dd) 50

2 a) 1/5
  b) 2
  c) 20
  ch) 100

3 a) 0.2
  b) 160
  c) 160

4 a) Dylai'r amleddau adio i roi 10.
  b) Y tebygrwydd ydy na fydd nifer o'r digidau wedi ymddangos eto.
  c) 20 rhif – Y tebygrwydd ydy y bydd bron y cwbl o'r digidau wedi ymddangos ond y bydd rhywfaint o glystyru.
  50 rhif – Y tebygrwydd ydy y bydd y gwasgariad yn dod yn fwy gwastad.